DATE A LIVE Disaster ITSUKA

데이트 어 라이브 12 이츠카 디재스터

"—말 안 듣는 아이는 벌을 받아야지."
고등학생—이츠카 시도
"뭐…… 뭐 하는 거죠?"
최강의 마술사—엘렌 M(밀라) 메이저스

"이, 이 감촉은……."
〈라타토스크〉 사령관—이츠카 코토리
"꺄아~."
고등학생—이츠카 시오리

“수긍. 아무래도,
유즈루들의 매력에 푹 빠진 것 같아요.”
정령—야마이 유즈루
“해, 해볼, 게요……
정령—요시노

"크큭, 시도여.
겁도 없이
여기까지 온 걸
칭찬해주마!"
정령—야마이 카구야

"—네에. 지명해주셔서
감사해요, 달링.
당신의 미쿠예요~."
정령—미쿠
"왠지 부끄럽구나."
정령—토카

“이왕 이렇게 됐으니, 건배라도 할까?”
정령—토비이치 오리가미

CONTENTS

# DATE 데이트

# A 어

# LIVE 라이브

# 12

글 : 타치바나 코우시
그림 : 츠나코
옮긴이 : 이승원

정령(精靈)
인계(隣界)에 존재하는 특수 재해 지정 생명체. 발생 요인, 존재 이유 둘 다 불명.
이쪽 세계에 모습을 드러낼 때, 공간진(空間震)을 발생시켜 주위에 심각한 피해를 끼친다.
또한, 엄청난 전투 능력을 보유하고 있음.
WAYS OF COPING1
대처법1
무력을 통한 섬멸.
단, 위에서 말했듯 매우 강대한 전투 능력을 보유하고 있기 때문에 달성 가능성이 극도로 낮음.
WAYS OF COPING2
대처법2
——데이트를 해서, 반하게 만든다.
이츠카 디재스터
Disaster ITSUKA
SpiritNo.?
Uniform–RaizenHighSchoolType

# 서장 종언의 짐승

—칠흑의 하늘에, 포효가 울려 퍼졌다.

아아, **저것**은 인간의 형태를 했으나, 그 실체는 짐승이자 괴물이었다.

의지가 없고, 자아도 없다. 그저 파괴만을 자행하는 포학(暴虐)의 결정체. 압도적인 힘의 화신. 빛을 두른 그 모습은 신화 속의 괴물을 연상케 했으며, 보는 이들에게 원시적이면서 근원적인 공포를 안겨줬다.

**그것**을 중심으로 영력이 소용돌이치면서 주위에 있는 나무들을 꺾어버렸다. 달 없는 밤을, **그것**이 뿜는 눈부신 빛이 비추고 있었다.

"거짓……말……."

공기를, 하늘을, 땅을 뒤흔드는 포효를 들은 코토리는 떨리는 손가락을 진정시키려는 것처럼 주먹을 말아 쥐었다.

그 떨림의 원인은 바로 두려움이었다. 하지만 그 두려움은 눈앞에서 울부짖는 괴물에게서 느끼고 있는 것이 아니라— 자신이 지금 해야만 하는 행위에 대한 감정일지도 모른다.

그렇다. 어떤 사명을 짊어지고 있는 코토리는 몇 년 전부터 각오를 가슴에 품고 살아왔다.

만약 이 괴물이 나타난다면—.

그때는 자신의 손으로 죽이겠다, 는 각오 말이다.

하지만 **그것**을 본 순간 가장 먼저 느낀 것은 사명감이나 살의가 아닌, 끝없는 비애와 후회였다.

왜 이렇게 된 것일까. 이렇게 되는 것을 막을 방법이 있지는 않았을까. 그런 생각이 마음속에서 소용돌이치면서, 코토리의 호흡마저 방해하고 있었다.

하지만, 이미 늦었다.

전부 다, 끝났다.

전부— 끝나고 만 것이다.

이렇게 되면, 코토리가 막을 내리는 수밖에 없다.

코토리는, 비통한 목소리로 『괴물』의 이름을 입에 담았다.

"왜…… 어째서 이렇게 된 거야, **시도**……!"

# 제1장 침식하는 비일상

겨울이 오면 봄도 멀지 않으리, 라는 말이 있다. 하지만 12월 1일인 오늘 날짜에서 본다면 겨울은 이제 시작된 거나 다름없으며, 봄은 아직 멀고도 먼 것 같았다.

그 사실을 증명하듯, 먹구름이 낀 오늘 아침은 올해 들어 가장 추웠다. 잎사귀가 전부 떨어져 헐벗은 나뭇가지들이 바람에 흔들릴 때마다, 이츠카 시도는 코트 옷깃과 목 사이의 틈을 메우는 작업을 해야만 했다.

구름에 뒤덮인 하늘은 새하얗고, 입에서 흘러나오는 입김 또한 새하얗다. 기온이 낮아졌을 때 대기가 맑아진 것처럼 느껴지는 것은 그 추위가 투명한 얼음을 상기시키기 때문일까―. 아니면, 냉기 때문에 세균과 유해 물질의 활동이 둔화된 것처럼 느껴지기 때문일까. 물론 자신의 감각 기관이 둔해졌을 뿐일 가능성도 충분히 존재했다.

시도는 곱은 손을 따뜻하게 하려는 것처럼 숨을 내쉬었다. 얼어붙은 손가락 끝이 잠시 따뜻해졌지만— 입김에 담긴 수분이 얼어붙어서 아까보다 더 추워졌다.

"하아…… 눈 깜짝할 사이에 추워졌네. 나도 머플러나 장갑을 낄 걸 그랬어."

시도는 손바닥을 비비면서 또 숨을 내쉬었다. 손에 입김을 불어봤자 의미가 없다는 사실을 알았기에 이번 것은 단순한 한숨이었다.

시도는 평소 입는 교복 위에 코트만 걸치고 있었다. 아무리 12월에 들어섰더라도 아직은 괜찮을 거라고 생각했지만, 아무래도 12월의 추위를 너무 얕본 것 같았다.

게다가 어젯밤부터의 극심한 온도 변화 때문인지, 오늘은 아침부터 몸 상태가 좋지 않았다. 지금이라도 집에 돌아가서 추위 대책을 철저하게 하고 올까.

"으음……."

하지만 시도의 현재 위치는 집에서 학교로 이어지는 통학로의 딱 중간이었다. 지금 집에 돌아갔다 오면 지각하고 말 것이다. 하지만 이대로 학교에 가면 이 옷차림으로 상당한 거리를 이동해야 한다. 여러모로 어중간한 위치였다.

"음? 시도, 추운 것이냐?"

시도의 옆에서 걷고 있던 야토가미 토카가 그를 돌아보면서 말했다. 차가운 바람에 칠흑빛 머리카락이 흩날리고 있는 그녀는 몽환적인 느낌을 지닌 수정 같은 눈동자로 시도를 올려다보고 있었다.

그녀는 현재 교복 위에 따뜻해 보이는 더플코트를 걸치고, 목에는 체크무늬 머플러를 두르고 있었다. 참고로 손에는 벙어리장갑을 끼고 있었으며, 신고 있는 양말 또한 평소보다 두꺼워 보였다. 그야말로 겨울용 옷차림이었다.

그러고 보니 토카는 일전에 다른 정령들, 그리고 레이네와 함께 겨울옷을 사러 갔었다. 아마 그때 산 것이리라. 검은색 코트와 빨간색 머플러는 토카에게 매우 잘 어울렸다.

"응……. 아무래도 12월을 좀 얕본 것 같아. 내일부터는 좀 더 따뜻하게 입고 등교해야겠어."

시도의 말을 들은 토카는 그의 얼굴을 지그시 쳐다보더니, 「흠……」 하고 말하면서 턱에 손을 댔다. 그리고 자신의 목에 두른 머플러를 손가락으로 가리켰다.

"그럼 이걸 목에 둘러라, 시도! 이건 폭신폭신하고 엄청 따뜻하다!"

"뭐? 괘, 괜찮아. 그러면 토카가 춥잖아."

"음…… 나는 괜찮다. 이 장갑이 있으니까 말이다!"

토카는 귀여운 벙어리장갑의 손가락 부분을 꼼지락거리면서 말했다. 그 모습을 본 시도는 쓴웃음을 지었다.

"장갑이 목덜미까지 따뜻하게 해주지는 않을 것 같은데……."

"으음……."

시도가 그렇게 말하자, 토카는 잠시 동안 생각에 잠겼다. 그리고 뭔가 좋은 생각이 난 것처럼 손뼉을 쳤다.

"음! 좋은 생각이 났다!"

토카는 밝은 목소리로 그렇게 말하면서 머플러를 한 바퀴만 풀었다. 그리고 머플러의 반은 자신의 목에 두른 채, 남은 한쪽 끝자락을 시도에게 건네줬다.

"자, 둘러라. 이러면 나도 시도도 따뜻할 거다."

토카는 그렇게 말한 후, 만면에 미소를 지었다.

"아, 괘, 괜찮아……."

하지만 시도는 쓴웃음을 지으면서 사양했다.

그럴 만도 했다. 확실히 토카가 제안한 방법이라면 두 사람 다 목덜미를 따뜻하게 할 수 있을지도 모른다. 하지만 한 머플러를 둘이서 같이 두르고 등교하는 만화 속 커플들이나 할 짓을 한 날에는, 클래스메이트들에게 어떤 시선을 받을지 알 수 없……지는 않다. 분명 부러움과 질투, 그리고 살의로 가득 차 있을 것이다.

하지만 토카는 자신의 뜻을 꺾지 않았다. 머플러 자락을 시도에게 쥐여준 채, 빨리 목에 두르라고 재촉했다.

"무슨 소리를 하는 거냐. 그러다 감기 걸릴 거다."

"아니, 그건 그렇지만 그래도……."

시도가 난처한 표정을 짓고 있을 때, 뒤쪽에서 후다다닥! 하고 격렬한 발소리가 들려왔다.

"크크! 느려터진 녀석들! 아직도 이런 곳에 있었더냐!"

"추월. 유즈루와 카구야는 아무도 막을 수 없어요."

그리고 그런 소리를 하면서 두 개의 그림자가 시도와 토카를 추월했다.

야마이 카구야와 야마이 유즈루. 토카와 마찬가지로 정령 맨션에서 사는, 판박이처럼 똑같이 생긴 쌍둥이 정령이다. 현재 두 사람은 교복 위에 낙타털로 짠 더플코트를 입고, 귀에는 폭신폭신한 귀마개를 끼고 있었다. 두 사람 다 방한 대책을 철저하게 한 것 같았다. 참고로 유즈루는 손에 평범한 장갑을 끼고 있었지만, 카구야는 손가락이 노출되는 가죽제 장갑을 끼고 있었다.

"카구야! 유즈루!"

"훗, 전쟁은 졸렬할지라도 빨리 끝내야 하는 법이니라. 미안하지만 먼저 가겠…… 잠깐만. 너희 지금 뭐 하고 있는 거야?"

"의아. 강아지 산책시키는 건가요? 아니면 이른 아침부터 그렇고 그런 플레이 중인가요?"

시도와 토카의 앞에 선 야마이 자매는 미간을 찌푸리면서 말했다.

시도는 그 말을 듣고 어깨를 부르르 떨었다. 토카가 두른 머플러 자락을 시도가 잡고 있으니, 마치 시도가 토카의 개목걸이 목줄을 쥐고 있는 것처럼 보였다.

"음? 무슨 소리지?"

"어이 어이, 오해 사기 딱 좋은 소리 하지 마. 이건……."

시도가 말을 끝까지 잇기도 전에 카구야와 유즈루는 뒤돌아섰다.

"개인의 취향에 왈가왈부할 생각은 없지만, 사람들 눈에 띄는 장소에서는 자제하는 걸 권하겠노라."

"긍정. 시도의 성적 취향에 어울려주고 있는 토카도 좀 생각해주세요."

"그러니까, 그런 게 아니라—."

"그럼 잘 있거라! 약속의 땅에서 다시 만나자꾸나!"

"작별. 야마이는 바람의 아이, 활기찬 아이예요."

그 말을 남긴 후, 야마이 자매는 통학로를 내달렸다.

"앗! 어이, 너희들, 아직 오해가 풀리지 않……."

저 두 사람이 시도에 관한 나쁜 소문을 퍼뜨리지는 않겠지만…… 악의 없이 알리고 다닐 가능성이 없지는 않았다. 그러니 가능한 한 빨리 오해를 푸는 편이 좋으리라. 시도는 두 사람의 등을 눈으로 좇으면서 옆에 서 있는 토카에게 말했다.

"……어이, 토카. 머플러를 두르지 않아도 몸을 따뜻하게 만들 방법이 생각났어."

"음? 그런 방법이 있느냐?"

"그래. ……뛰면 돼!"

キメ

시도가 그렇게 말하면서 지면을 박차자, 토카는 「오오!」 하고 외치며 그의 뒤를 따랐다.

점점 멀어져 가는 야마이 자매를 쫓으며 몇 분 동안 달린 덕분에— 시도는 예상했던 시각보다 일찍 학교에 도착했다.

"하아……, 하아……."

입구에 도착한 시도는 거친 숨을 내쉬면서 손으로 무릎을 짚었다. 시도의 옆에 태연히 서 있던 토카가 그에게 말을 걸었다.

"시도, 괜찮으냐?"

"으, 응……."

시도는 이마에 맺힌 땀을 닦으면서 고개를 끄덕였다. 정령인 토카와 체력에서 차이가 나는 것은 당연하지만…… 그래도 평소보다 힘든 것 같은 느낌이 들었다. 역시 아침의 쌀쌀한 날씨 때문에 감기에 걸린 걸까.

"크큭! 둘 다 꽤 하는구나."

"칭찬. 하지만 스피드에서는 유즈루와 카구야가 챔피언이에요."

먼저 학교에 도착한 야마이 자매는 쓸데없이 멋진 포즈를 취하며 시도와 토카를 맞이했다. 처음부터 따라잡을 수 있을 거라고 생각하지는 않았지만, 그녀들이 입구에서 기다려주고 있어서 다행이었다. 숨을 고른 시도는 굽히고 있던 몸을 펴면서 입을 열었다.

"너희 둘, 오해하고 있는 것 같아서 말해두는 건데, 아까 그건—."

"음? 토카가 시도에게 머플러를 빌려주려고 한 거지 않느냐?"

"당연. 그 정도는 척 보면 척이에요."

두 사람이 당연한 소리를 하듯 그렇게 말하자, 시도는 눈을 치켜떴다.

"잠깐, 알고 있었던 거야?!"

"크큭, 당연하지. 이 몸의 마안이 간파할 수 없는 건 이 세상에 존재하지 않느니라."

"긍정. 아까는 질투가 난 카구야가 시도를 놀린 것뿐이에요."

"자, 잠깐……! 말도 안 되는 소리 하지 마! 질투한 적 없다구!"

"도망. 삼십육계 줄행랑이에요."

"거, 거기서, 유즈루~!"

태연한 얼굴로 그렇게 말한 유즈루는 그대로 줄행랑을 쳤다. 그러자 카구야는 허둥지둥 유즈루를 쫓으며 학교 안으로 들어갔다.

두 사람의 등을 쳐다보던 시도는 하아 하고 땅이 꺼져라 한숨을 내쉬었다.

"정말 저 둘은 여전히 쓸데없이 힘이 넘친다니깐……."

"시도, 우리도 교실로 들어가자. 이러다간 겨우 따뜻해진 몸이 식어버릴 거다."

"응. 그러자."

토카의 말을 들은 시도는 고개를 끄덕인 후, 신발을 벗고 신발장을 열었다.

그리고 그는 의아하다는 듯이 미간을 찌푸렸다.

"어라……?"

"음? 시도, 왜 그러느냐."

"그게…… 신발장 안에 내 실내화가 없어."

그렇다. 평소처럼 실내화를 꺼내려던 시도의 손이 허공을 가르고 만 것이다.

"뭐? 누가 실수로 잘못 꺼내 신은 것이냐?"

"으음…… 그럴지도 모르겠어."

시도는 눈을 동그랗게 뜬 토카를 향해 애매한 목소리로 말했다.

실내화를 훔쳐가는 건 집단 괴롭힘의 전형적인 수단이지만…… 그런 소리를 했다간 토카가 불안해할 것이다.

게다가 시도에게 그런 짓을 할 인물로 짐작되는 이 또한 없었다. ……뭐, 요즘 들어 교내에서 시도의 평판이 떨어지고 있는 것은 사실이기에, 딱 잘라 부정할 수는 없지만 말이다.

"어쩔 수 없네. 오늘 하루는 슬리퍼로 지내야겠어."

그렇게 말한 시도는 사무실에 가서 손님용 슬리퍼를 빌려서 신은 후, 토카와 함께 2학년 4반 교실로 향했다.

그리고 교실 문을 열고 자신의 자리로 향하다— 갑자기 걸음을 멈췄다.

이유는 단순했다. 시도의 자리를 차지하고 있는 이가 있었던 것이다.

어깨에 닿을락 말락 하는 길이의 머리카락과 인형처럼 단정한 얼굴이 인상적인 소녀였다.

하지만 그것만이라면 딱히 이상할 것이 없었다. 여자애들이 친구들과 수다를 떨기 위해 다른 학생의 자리를 빌리는 건 흔한 일이기 때문이다.

하지만 그 소녀가 책상 밑에 숨듯 바닥에 무릎을 꿇은 채 의자에 볼을 댄 자세로 시도를 기다리고 있다면 이야기는 달라진다. 주위에 있는 클래스메이트들은 그런 그녀를 보고도 못 본 척하고 있었다.

"……오리가미, 뭐 하고 있는 거야?"

시도는 어이없다는 눈길로 그녀를 쳐다보면서 말했다.

그렇다. 그녀의 이름은 토비이치 오리가미. 시도의 클래스메이트이자— 지난달에 그가 영력을 봉인한 정령이다.

원래 정령은 시도의 집 옆에 있는 정령 맨션에서 살게 되어 있지만, 오리가미는 부모님과의 추억이 쌓인 집을 떠날 수가 없다면서 아직도 그 집에 머무르고 있었다. 그래서 등교 시간도 시도와 조금 달랐다.

시도의 말을 들은 오리가미는 책상 밑에서 기어 나왔다.

"데워뒀어."

"의자를?!"

"그것만이 아냐."

그렇게 말한 오리가미는 품속에서 실내화 한 켤레를 꺼냈다.

—오리가미가 자신의 체온으로 따뜻하게 데운 그것은 바로 시도의 실내화였다.

"이것도 데워뒀어."

"……네가 범인이었냐?!"

시도가 고함을 지르자, 그 뒤를 이어 토카가 언성을 높였다.

"오리가미! 시도의 실내화를 멋대로 꺼내 가면 어쩌자는 것이냐! 그 탓에 시도는 슬리퍼를 신게 되었지 않느냐!"

"……윽!"

토카의 말을 듣고 부리나케 시도의 발치를 쳐다본 오리가미는 고개를 깊이 숙였다.

"미안해. 거기까지는 생각이 미치지 않았어."

"사, 사과할 것까지는 없어. 앞으로 조심해주기만 하면 돼…….”
“오늘 아침에 고안한, 시도의 의자와 실내화를 동시에 보온하는 시스템의 특허 및 상표 등록을 해야 한다는 생각으로 머릿속이 가득 차 있었어.”
“아즈치·모모야마 시대[#1]부터 존재했던 시스템이거든?!”
시도는 또 절규를 지른 후, 지쳤다는 듯이 한숨을 내쉬면서 자신의 실내화를 신었다.
그리고 책상에 가방을 건 후, 코트를 벗으려고 했다.
“기다려.”
바로 그때, 오리가미가 시도를 제지했다.
“응? 왜 그래?”
“시도 보온 시스템, 영식(零式)(제로).”
오리가미는 담담한 어조로 그렇게 말하면서 시도가 어중간하게 벗은 코트 안으로 손을 집어넣더니, 시도의 몸을 꼭 끌어안았다. 그러자, 마치 코트 하나를 둘이서 같이 입은 꼴이 되었다.
“읏……?!”
“오, 오리가미! 시도에게 무슨 짓을 하는 것이냐!”
토카가 입에 거품을 물면서 오리가미를 시도에게서 떼어내려 했다. 하지만 오리가미는 엄청난 힘으로 시도에게 찰

**#1 아즈치·모모야마 시대** 오다 노부나가와 도요토미 히데요시가 정권을 잡고 있던 시대. 한편, 노부나가의 시종이었던 키노시타 토키치로 히데요시가 오다 노부나가의 짚신을 품속에 넣어 체온으로 데웠다는 일화가 존재한다.

싹 달라붙어 있었다.

하지만 몇 초 후, 뭔가를 눈치챘는지 오리가미는 시도의 가슴에 묻고 있던 얼굴을 들었다.

"이미 체온이 높아. 시도, 혹시 열이 있는 거야?"

"뭐? 아…… 학교까지 뛰어오느라 몸이 달아오른 걸 거야."

"그렇구나. 그럼 됐어."

오리가미는 그렇게 말한 후 시도에게서 떨어졌다. 그리고 그대로 뒤돌아섰다.

"오리가미? 어디 가는 거야?"

"별일 아냐."

오리가미는 그 말을 남긴 후, 교실을 빠져나갔다.

팔짱을 낀 토카는 그녀의 등을 쳐다보면서 화를 냈다.

"정말, 잠시도 눈을 떼선 안 되는 녀석이구나!"

"하하……. 뭐랄까, 오리가미는 변함이 없네……."

시도는 힘없는 웃음을 흘리며 자리에 앉았다.

현재의 오리가미는 지금까지 시도들과 함께 지냈던 오리가미와는 미묘하게 달랐다.

원래의 오리가미와 시도가 과거를 바꾼 바람에 탄생한 얌전한 오리가미가 통합된, 새로운 오리가미라고 할 수 있는 존재인 것이다.

하지만 아까 행동으로 볼 때, 과거를 바꾼 후의 오리가미보다는 원래 오리가미 쪽에 더 가까운 것 같았다.

"음?"

하지만 토카는 시도의 말을 듣고 고개를 갸웃거렸다.

"무슨 소리를 하는 것이냐. 확실히 저 녀석의 행동은 눈에 거슬리지만, 옛날과 완전히 똑같지는 않다."

"그래? 내 눈에는 전보다 더 강렬해진 것 같은데……."

"예전의 오리가미였다면 내가 억지로 떼어낼 때까지 시도에게 찰싹 붙어 있었을 것이다. 게다가 방금 교실을 나설 때의 얼굴은……."

"응?"

시도는 영문을 모르겠다는 듯이 눈을 동그랗게 떴다.

"……."

교실에서 나온 오리가미는 종종걸음으로 복도를 이동하더니, 인적이 드문 장소에 도착하자마자 벽에 등을 기대면서 그대로 주저앉았다.

"……아아아아아아아아아아아아아아."

그녀는 양손으로 얼굴을 감싼 채 신음을 흘렸다.

손바닥을 통해 뜨거운 체온이 느껴졌다. 거울을 보지는 않았지만, 자신의 얼굴이 새빨갛게 달아올랐으리라는 것은 쉬이 상상이 되었다.

"나, 왜 그런 짓을 한 거지……."

떨리는 목소리로 그렇게 말한 오리가미는 자신의 머리카락을 쥐어뜯었다.

오리가미는 평소처럼 등교했다. 하지만 시도의 신발장을 본 순간, 오리가미의 마음속에 존재하던 키노시타 토비이치로 히데요시가 주군의 실내화를 따뜻하게 해둬야 한다고 외쳐댄 것이다. 그리고 정신을 차리고 보니, 시도의 실내화를 품속에 넣은 채, 단두대 처형을 앞둔 죄인처럼 시도의 의자에 머리를 얹고 있었다. 지금 생각해봐도 뭐가 어떻게 된 건지 알 수가 없었다.

하지만 마음 한편에서는 그런 행위가 당연, 아니, 시도의 체육복을 교복 안에 입어서 체온으로 데워뒀어야 하는 게 아닐까. 시도는 따뜻, 나는 만족. 완벽한 윈윈 전략이다. 역시 다른 사람이 선수를 치기 전에 특허 신청을 해야 한다. 명칭은 오리가미 폿트. 보온병을 가리키는 단어인 포트와, 볼이 화끈거릴 때 쓰는 일본의 의태어인 『폿토』를 합친 위트 넘치는 이름이다. 그런 생각도 동시에 존재한 것이다.

이것은 원래 이 세계에서 살던 오리가미와 과거가 바뀌기 전에 존재했던 오리가미의 의식이 얽히면서 생긴 혼돈이다.

그리고 양쪽 다 오리가미지만, 어째선지 시도가 눈앞에 있으면 후자의 감각이 앞서고 마는 것이다.

원래 이 몸은 과거가 바뀐 후의 오리가미의 것이다. 균형이 잡히는 정도라면 몰라도, 새롭게 통합된 오리가미가 우위에 서는 일은 있을 수 없다.

하지만 과거가 바뀐 후 『시도를 향한 마음 30퍼센트 : 자제심 70퍼센트』였던 오리가미의 의식에 『시도를 향한 마음 120퍼센트』가 더해지면서 밸런스가 붕괴되어버린 것이다.

"내가 이상한 애라고 생각하지 않을까……."

오리가미가 한숨 섞인 목소리로 그렇게 중얼거린 순간, 딩동댕동~ 하는 종소리가 들렸다.

"아…… 빨리 가봐야 해."

계속 이러고 있을 수는 없다고 생각한 오리가미는 흐트러진 머리카락을 손으로 간단히 정돈한 후, 무릎을 짚으면서 일어섰다.

하지만 오리가미가 복도 모퉁이를 돈 순간, 툭 하고 누군가와 부딪히고 말았다.

"꺄아."

"아, 미안…… 어라, 오리가미?"

부딪힌 사람은 아까 교실에서 헤어졌던 시도였다.

"여기 있었구나. 그것보다 방금 그 소리는……."

"아무것도 아냐. 그것보다 시도는 왜 여기 있는 거야?"

오리가미가 묻자, 시도는 손가락으로 볼을 긁적이면서 대답했다.

"그게…… 오리가미가 좀 안 좋아 보이길래, 괜찮나 싶어서 찾아보러 온 거야…….”

“……아!”

오리가미는 자신의 심장이 크게 뛰는 것을 느꼈다. 시도가 오리가미를 걱정해줬다. 그런 생각을 하는 것만으로도 심장이 희미하게 열기를 띠었다.

하지만 그 사실을 머리가 감지하는 것보다 먼저 그녀의 몸이 움직였다.

“기뻐. 실은 몸이 진짜로 안 좋아. 촉진(觸診)으로 검사해줬으면 해. 구체적인 부위는 가슴 언저리와 하복부야.”

오리가미는 그렇게 말하면서 시도의 손을 움켜잡았다. 그러자 시도는「히익!」하고 숨을 삼켰다.

―어? 어? 나 지금 뭐 하는 거지?! 같은 생각을 하면서 본인이 혼란스러워하는 와중에도 오리가미의 몸은 주저 없이 행동하고 있었다.

“선생님, 부탁해요. 상냥하게, 그리고 대담하게 해주세요.”

“토카~! 토카아아아! 역시 하나도 안 변했어어어어어엇!”

시도의 비명이 수업이 아직 시작되지 않은 학교 안에서 메아리쳤다.

◇

"……."

텐구 시 안에 있는 〈라타토스크〉의 지하 시설의 한 방에, 사령관인 이츠카 코토리는 홀로 있었다.

검은색 리본을 이용해 둘로 나눠 묶은 긴 머리카락과 어깨에 걸친 진홍색 재킷, 그리고 입에 문 막대 사탕이 인상적인 소녀였다. 외모는 나이에 걸맞게 귀여운 편이었지만, 그녀의 표정은 현재 베테랑 군인처럼 굳어 있었다.

하지만 그것도 무리는 아니었다. 그것도 그럴 것이 코토리의 앞에는 지난달에 봉인한 정령 〈데빌〉에 관한 자료가 놓여 있는 것이다.

〈데빌〉. 그것은 최악의 정령 〈나이트메어〉 토키사키 쿠루미에 버금가는 최우선 경계 대상인 반전 정령이었다.

그 정체는 바로 전직 AST인 토비이치 오리가미였다. 코토리가 보고 있는 자료에는 〈데빌〉에 관한 상세한 데이터 외에도 그녀의 청취 조사 결과가 기재되어 있었다.

"……흐음."

코토리는 낮은 신음을 흘리면서 그 종이에 적힌 항목을 바라보았다.

과거를 바꿨다는 이야기나 인격 통합 같은 것도 매우 흥미가 있었지만— 코토리의 시선을 가장 끄는 것은 오리가미가 쿠루미의 천사 자프키엘 〈각각제(刻刻帝)〉의 힘으로 5년 전의 텐구 시에 갔을 때 있었던 일이다.

오리가미는 자신의 부모님을 구하기 위해 5년 전으로 가서 어떤 존재와 대치했다고 한다.

—〈팬텀〉. 코토리, 미쿠, 오리가미에게 정령의 힘을 준, 정체불명의 존재와 말이다.

“꼬리를 잡았다……고 말할 정도는 아니지만…….”

코토리는 혼잣말을 중얼거렸다.

코토리도 과거에 〈팬텀〉과 직접 만난 적이 있었다. 하지만 그때의 〈팬텀〉은 노이즈 같은 것을 온몸에 두르고 있었고, 목소리 또한 음성 변조기를 사용한 것 같았기 때문에 실체를 알 수 없었다. 그리고 미쿠도 그랬다고 말했다.

하지만 오리가미는 이 〈팬텀〉과 교전했고, 천사의 힘으로 그 노이즈 장벽을 벗겨냈다. 그래서 한순간이기는 하지만 상대의 목소리를 듣고, 상대의 뒷모습을 보았다고 한다.

그녀의 말에 따르면— 〈팬텀〉은 젊은 여성이었다고 한다.

그리고 그녀는「나에게는 소원이 있다」고 말했다고 한다.

코토리는 오리가미가 자신의 기억에 근거해서 그린 〈팬텀〉의 스케치를 노려보면서 입을 열었다.

“〈팬텀〉…… 너는 대체 뭐야? 그리고 네 목적은 뭐지?”

코토리가 그 말을 하기를 기다린 것처럼 누군가가 방문에 노크를 했다.

“누구야?”

『……나야.』

"아, 들어와."

코토리가 대답하는 것과 동시에 문이 열리더니, 〈라타토스크〉의 제복을 입은 여성이 방으로 들어왔다. 대충 묶은 머리카락과 짙은 다크서클이 내려앉은 눈. —〈라타토스크〉 해석관이자 코토리의 절친인 무라사메 레이네였다.

"레이네, 무슨 일이야?"

"……으음, 단말로 연락할까 했는데, 코토리가 오늘은 와 있다고 들어서 직접 만나러 온 거야."

"그랬구나."

코토리는 고개를 끄덕였다. 오늘은 평일이기에 코토리도 시도나 토카와 마찬가지로 학교에 가야 했다.

"좀 조사해볼 게 있거든. 아, 물론 출석 일수는 계산하고 있으니까 걱정하지 마. —그것보다 무슨 일이야?"

"……조금 신경 쓰이는 일이 있어."

"신경 쓰이는 일?"

코토리가 고개를 갸웃거리자, 레이네는 들고 있던 태블릿 단말기를 보여줬다.

그 단말기의 화면에는 각종 수치와 여러 개의 선이 겹쳐진 그래프가 표시되어 있었다.

"이건……."

"……최근 정령들의 영파 수치 그래프야. 이걸 봐."

레이네는 그중 한 선을 가리켰다. —그 선은 유일하게 수치가 급격하게 상승하고 있었다.

"이게 뭐야? 요즘 들어 다들 정신 상태가 안정적이었잖아? 대체 누가—."

말을 하다 멈춘 코토리가 어깨를 부르르 떨었다.

"설마, 토비이치 오리가미야?"

그녀는 봉인된 지 얼마 되지 않은 데다, 원래 반전 정령으로서 맹위를 떨치던 존재다. 이레귤러적인 사태가 발생하더라도 이상할 것이 없었다.

하지만 레이네는 천천히 고개를 저었다.

"……아냐."

"그럼 누군데. 토카? 요시노? 설마 나라는 건 아니겠지?"

"……그렇지 않아. 이건—."

레이네는 천천히 그 이름을 입에 담았다.

◇

수학과 현대 국어 수업이 끝나고 3교시가 되었다.

2학년 4반의 다음 과목은 3반과의 합동 체육이었다.

"어이, 이츠카. 슬슬 가자."

그렇게 말하면서 다가온 이는 짧은 머리카락을 왁스로 세운 남학생이었다. 시도의 악우인 토노마치 히로토였다.

"아…… 다음은 체육이었지."

시도는 천천히 고개를 들었다. 그런 시도를 본 토노마치는 의아한 표정을 지었다.

"어? 너, 왜 그래? 안색이 안 좋잖아. 감기라도 걸린 거야?"

"으음…… 잘 모르겠어. 아침부터 몸이 좀 나른했어."

"으음. 시도, 괜찮은 것이냐?"

"몸이 안 좋으면 견학을 해."

오른편에서 토카가, 왼편에서 오리가미가 걱정스러운 표정을 지으며 시도를 바라보았다. 시도는 아하하 하고 웃으면서 괜찮다는 듯이 손을 흔들었다.

"그렇게 심각하지는 않으니까 걱정하지 마. ―토노마치, 이번 체육 시간에는 뭘 한다고 했지?"

시도가 묻자 토노마치는 「까먹은 거야?」 하고 말하듯 어깨를 으쓱했다.

"오늘은 체력 측정을 하는 날이잖아. 게다가 남녀가 함께 하니까 남자다움을 마구마구 어필할 수 있다고! 나는 이날을 위해 수업 중에 엉덩이를 의자에서 살짝 들고 있었단 말이야!"

"수업 내내 그랬던 거야?!"

"아니, 한 수업당 평균 5초 정도였을걸?"

"너무 짧잖아!"

시도가 태클을 걸었지만 토노마치는 들은 척도 하지 않았다. 그는 토카와 오리가미를 향해 고개를 돌리더니 엄지를 치켜들었다.

"그런고로 여성 여러분. 이 기회에 나한테 다시 한 번 반하라고. 이 몸의 활약을 기대해주시길!"

"시도, 정말 괜찮은 것이냐? 양호실에 가겠느냐?"

"시도, 무리하지 마. 양호실에서 기다리고 있을게."

"어라, 무시하는 거야~? 좀 들은 척 해줘도 괜찮잖아~. 히로뽕, 삐쳐버릴 거야~."

토노마치는 입술을 삐죽 내밀면서 불만을 표시했다. 시도는 그 모습을 보면서 쓴웃음을 지은 후, 천천히 의자에서 일어났다.

"뭐, 체력 측정이라면 괜찮을 거야. 미뤘다가 나중에 하는 것도 귀찮으니까 참가할래. 금방 갈 테니까 먼저 가."

"오케이. 그래도 너무 무리하지 말라고. 너는 남한테는 엄청 신경 쓰지만 자기 자신한테는 무신경한 구석이 있잖아."

"하하…… 조심할게. 그러고 보니 코토리한테도 비슷한 소리 들은 적 있어."

"어, 정말? 역시 나와 코토리는 마음이 맞는 것 같네요. 처남."

"헛소리 말고 빨리 가."

시도가 개를 쫓듯 손을 내젓자, 토노마치는 가볍게 웃음을 흘리면서 교실을 나섰다.

"으음…… 체력 측정이라."

시도는 그렇게 중얼거리면서 토카와 오리가미를 쳐다보았다.

"……혹시나 해서 하는 말인데 너무 전력을 다하지는 마. 아무리 영력이 봉인되었다고 해도 너희의 신체 능력은 평범한 인간을 능가한다고."

"음, 알고 있다. 자중할 테니 걱정 마라."

"상식적인 선을 지킬게."

"부탁해. ……너희보다는 카구야와 유즈루가 더 걱정이네. 그 녀석들이 라이벌 의식을 불태우다 엄청난 기록을 내지 않도록 주의를 줘."

시도가 그렇게 말하자, 토카와 오리가미는 고개를 끄덕였다.

그 모습을 본 후 체육복을 챙긴 시도는 그녀들과 함께 교실을 나섰다. 그리고 도중에 두 사람과 헤어진 그는 남자 탈의실에 들어가서(어찌 된 영문인지 오리가미가 시도를 따라오려고 했지만, 토카가 여자 탈의실로 끌고 갔다) 옷을 갈아입은 후, 교정으로 향했다.

그 직후, 수업 시작을 알리는 종이 울리더니 체육 담당 교사인 스가누마 선생님이 나타났다. 체육복 차림인 그는 학생들을 정렬시켰다.

"……아, 큰일 났다."

바로 그때, 시도는 미간을 살짝 찌푸렸다.

아까까지는 느껴지지 않았던 강렬한 현기증이 그를 덮친 것이다.

온몸이 뜨겁게 달아오르면서 의식이 점점 몽롱해졌다. 학생들 앞에 선 스가누마 선생님이 체력 측정 종목과 악력계 사용법을 설명했지만, 시도는 거의 들리지 않았다.

"으……."

시도는 흐릿해진 눈을 비볐다. 이렇게까지 상태가 악화될 줄은 몰랐다. ……토카와 오리가미의 충고대로 양호실에 가는 편이 나았을지도 모른다.

시도가 흐릿해지는 의식으로 그런 생각을 하고 있을 때, 누군가가 그의 등을 두드렸다.

"으응…… 뭐, 야……?"

고개를 돌려보니, 시도의 뒤편에 서 있던 학생이 앞쪽을 손가락으로 가리켰다.

"뭐긴 뭐야. 이츠카, 네 차례라고."

"응? 아……."

그 말을 듣고서야 시도는 겨우 정신을 차렸다. 시도가 멍하니 있는 사이, 앞에 서 있던 학생들은 이미 악력 측정을 끝낸 것 같았다.

시도는 후들거리는 걸음걸이로 앞으로 나아가, 아날로그식 악력계를 쥐었다.

"다음은 이츠카구나. 자아, 우선 오른팔부터 해보자. 있는 힘껏 쥐어봐."

기록용 클립보드를 든 스가누마 선생님이 손을 힘차게 쥐는 듯한 제스처를 취했다.

"남자 고등학생의 평균은 얼추 43킬로그램이다. 그리고 현재 최고 기록은 요시카와가 세운 75킬로그램이지. 과연 그걸 넘어설 수 있을까?"

스가누마 선생님이 농담 투로 그렇게 말하자, 몸집이 건장한 남학생— 유도부 소속인 요시카와가 쓴웃음을 지었다.

"그만해요, 선생님. 설마 이츠카한테 지겠어요. ……그리고 리어 왕한테 악력으로도 지면, 내 아이덴티티가 크라이시스하다고요."

"맞아, 맞아."

주위에 있던 남학생들이 웃음을 터뜨렸다. 『리어 왕』은 셰익스피어의 4대 비극 중 하나인데, 왜 그 이름이 지금 나온 것일까. 왠지 원래의 의미와는 다르게 쓰이고 있는 듯한 느낌이 들었다.

하지만 의식이 흐릿해진 시도는 그 말에 반응할 여유조차 없었다.

이런 상태에서는 최고 기록은 고사하고 평균 기록을 넘는 것조차 힘들 것 같지만…… 할 수밖에 없다. 시도는 오른손에 힘을 주면서 악력계를 쥐었다.

그러자 다음 순간.

펑 하는 소리가 들리더니, 딱딱한 무언가가 시도의 볼을 스치고 지나갔다.

"……어?"

"어, 어이, 이츠카."

고개를 갸웃거리던 시도는 주위 학생들이 시도의 오른손을 주시하고 있다는 사실을 눈치챘다.

"뭐야……?"

시도는 그들의 시선을 좇듯 오른손에 쥔 악력계를 쳐다보았다. 그리고 그 악력계가 박살 났다는 사실을 알아챘다. 용수철이 박살 나면서 손잡이 부분이 완전히 밀착되어 있었고, 눈금에 달려 있던 바늘이 튕겨났다. 아무래도 아까 시도의 볼을 스치고 지나간 게 바로 그 바늘인 것 같았다.

주위 학생들이 술렁대기 시작했다.

"뭐, 뭐가 어떻게 된 거지?"

"이츠카 너, 악력이 대체 얼마나 되는 거야……."

"어, 어디 좀 보자."

스가누마 선생님이 시도가 쥔 악력계를 넘겨받더니, 그것을 다양한 각도에서 유심히 쳐다보았다.

그 후, 그는 하아 하고 한숨을 내쉬었다.

"아~ 으음, 용수철 부분의 금속이 낡았던 것 같구나. 옛날부터 써왔던 거니 수명이 다할 만도 하지. 이츠카, 다친 데는 없냐?"

"예? 아, 예……."

시도가 그렇게 대답하자, 마른침을 삼키고 있던 학생들의 분위기가 단숨에 누그러졌다.

"하아, 놀라게 하지 좀 말라고."

"뭐, 낡은 게 맞을 거야. 바늘이 눈금을 벗어난다면 몰라도 아예 튀어나와 버렸잖아."

학생들은 납득한 것처럼 고개를 끄덕였다.

"……."

시도는 아무 말 없이 그들의 말을 들으면서 오른손을 쥐락펴락했다.

……그렇다. 용수철이 낡은 거라면 납득이 된다. 딱히 근력 트레이닝을 한 적도 없는 시도가 악력계를 박살 낼 수 있을 리가 없고, 지금은 몸 컨디션도 최악이다. 게다가 시도는 악력계를 쥘 때 손에 힘을 거의 주지 않았다.

시도가 그런 생각을 하고 있을 때, 스가누마 선생님이 입을 열었다.

"자아, 이번엔 공 던지기다. 순서대로 여기서 공을 던져봐. 공 던지기의 고교 평균 기록은 얼추 26미터 정도지. 핸드볼부와 야구부 녀석들은 평균을 넘어설 수 있을까~?"

스가누마 선생님이 그렇게 말하자, 핸드볼부와 야구부에 소속된 클래스메이트들이 쓴웃음을 지었다.

그 후, 학생들은 선생님의 지시에 따라 순서대로 지정된 위치에 서서 공을 던졌다.

"하앗!"

"아사이, 24미터!"

"우랍!"

"요시카와, 30미터!"

"이야아아아아압!"

"토노마치, 선 밟았다."

선생님과 측정 담당의 목소리가 번갈아 들리며 십여 분이 흐른 후, 시도의 차례가 되었다.

"자, 다음은 이츠카! 공은 부서질 염려가 없으니까 마음 편히 던져라!"

"……예."

시도는 노곤한 목소리로 대답한 후, 바구니 안에 있던 공 중에서 대충 하나를 꺼내 쥐었다. 그리고 석회 가루로 그려진 원의 중심에 섰다.

그리고 측정 담당이 손을 들면서 신호를 보내는 것을 흐릿한 시야로 본 후, 천천히 오른손을 들어 올렸다.

"에잇!"

그렇게 외치면서 지면을 박찬 토카는 앞쪽에 있는 모래사장에 착지했다.

그러자 줄자를 들고 있던 측정 담당 여학생, 아이가 다가 오더니 점프 위치와 토카의 착지 위치 사이의 거리를 쟀다.

“토카, 2미터 90센티미터!”

“오오~! 현재 최고 기록이네~!”

“역시 대단해~.”

아이의 말에 답하듯, 마이와 미이가 박수를 쳤다.

다른 이들의 반응을 보니, 상식적인 기록의 범위 안에서 꽤 잘한 축에 들어가는 것 같았다. 토카는 만족스러운 표정을 지으며 고개를 끄덕였다.

악력 측정, 공 던지기를 끝낸 토카와 다른 여학생들은 현재 제자리멀리뛰기를 하고 있었다. 토카가 모래사장에서 나오자, 이미 측정을 끝낸 야마이 자매가 다가왔다.

“크큭, 토카여. 꽤 하는구나.”

“긍정. 절묘한 수치예요.”

“오오, 카구야, 유즈루. 너희 기록은 얼마였느냐?”

토카가 묻자 카구야와 유즈루는 자랑하듯 가슴을 활짝 펴면서 팔짱을 꼈다.

“2미터 50센티미터였느니라. 크큭, 구풍의 왕녀인 우리가 전력을 다하면 소동이 일어날 게 뻔하지 않느냐. 그래서 오늘은 승부 형식을 바꿨지.”

“긍정. 기록을 겨루는 게 아니라 처음에 정해둔 수치에 누가 더 근접한 기록을 낼 수 있는 가로 승부하고 있어요. 악력은 간단했지만, 공 던지기와 제자리멀리뛰기는 꽤 스릴이 넘쳤죠."

"오오, 그랬구나!"

토카는 눈을 치켜뜨면서 손뼉을 쳤다. 그렇게 하면 남들에게 의심받지 않으면서 승부를 할 수 있으리라.

토카와 야마이 자매가 그런 대화를 나누고 있을 때, 토카의 다음 차례였던 학생이 제자리멀리뛰기를 했다.

"—토비이치 양, 2미터 91센티미터!"

"오오오오오오오오오오오오오?!"

"토카의 천하는 3분 만에 끝났잖아?!"

경악으로 물든 아이, 마이, 미이의 목소리를 들은 토카가 고개를 돌렸다.

오리가미가 태연한 표정으로 다가왔다. 그 모습을 본 토카가 뾰로통한 표정을 지었다.

"……오리가미. 너, 설마 일부러 이러는 것이냐?"

"무슨 소리야?"

"기록 말이다. 왜 나보다 1센티미터 더 멀리 뛴 것이냐."

"우연이야."

"……정말이냐? 악력 측정 기록도 나보다 0.1킬로그램 위였던 것 같다만."

"우연이야."

"공 던지기 기록도 나보다 1센티미터 위였지 않느냐."

"우연이야."

"으으……."

오리가미가 딱 잘라 그렇게 말하자, 진짜로 우연인 것 같은 느낌도 들었지만…… 왠지 납득이 되지 않았다. 토카는 오리가미를 쳐다보면서 말을 이었다.

"그럼 다음 종목은 오리가미가 먼저 하거라. 그러면 우연인 걸 인정해주마."

"그럴 수는 없어."

"역시 일부러 그러는 것이지 않느냐!"

결국 참다못한 토카는 고함을 질렀다. 하지만 오리가미의 시선은 토카가 아니라 교정 저편— 남학생들이 체력 측정을 하는 곳을 향하고 있었다.

남학생들은 아직 공 던지기를 하고 있는 것 같았다. 그러고 보니, 아까 남학생들이 악력을 측정할 때 꽤 소란스러웠다. 어쩌면 뭔가 문제가 발생해서 측정에 시간이 걸린 걸지도 모른다.

"음?"

바로 그때, 토카는 눈치챘다. 아무래도 시도가 공 던지기를 할 차례인 것 같았다.

하지만 토카는 미간을 찌푸렸다. 지정된 위치에 서려고 하는 시도의 발걸음이 환자처럼 흐느적거리고 있었던 것이다.

"으음, 시도는 정말 괜찮은 것이냐."

"역시 몸이 좋지 않은 것 같아. 양호실에 데려가야겠어. 공주님 안기로 말이야."

"잠깐! 공주님 안기를 할 필요가 어디에 있는 것이냐!"

그렇게 토카가 오리가미의 손을 잡은 순간이었다.

—휘잉, 하고 바람을 가르는 소리가 들리더니, 시도의 손에서부터 하늘을 향해 일직선으로 된 선이 그어졌다.

"어……?"

누군가의 아연실색하는 목소리가 어딘가에서 들려왔다.

하지만 그것도 무리는 아니었다. 포물선이 아니라 자로 줄을 그은 것처럼 올곧은 궤적을 그리며 날아간 공이 구름을 찢더니 하늘 저편으로 사라졌다. 그 모습은 캐터펄트에서 발사된 전투기나 탄도 미사일을 연상케 했다. 대기와의 마찰로 인해 공의 표면이 타들어 간 것인지 비행기구름 같은 연기가 생겨나더니 공기 중에 녹아들면서 사라졌다.

""""…………""""

교정 전체가 잠시 동안 침묵에 휩싸였다.

그 정적 속에서 미이가 「……잘 가, 세균맨」 하고 중얼거렸지만 아무도 태클을 걸지 않았다.

결국 시도의 엄청난 폭투는 급격한 상승 기류 탓인 걸로 결론이 났다. 아니, 그렇게라도 하지 않으면 아무도 납득하지 못했으리라는 것이 정답일지도 모른다.

아무튼 이 소동으로부터 십여 분 후, 체력 측정의 뒤를 이어 이번에는 50미터 달리기를 하게 되었다.

"자, 그럼 다음. 여자는 야토가미 양, 토비이치 양, 야마부키 양. 남자는 토노마치 군, 아사이 군, 이츠카 군이네. 출발선에 서줘."

측정을 담당한 학생이 지시를 내리자, 토카는 고개를 끄덕이면서 흰 선 앞에 섰다. 그 뒤를 이어 오리가미와 아이, 그리고 남학생들의 뒤를 이어 시도가 비틀거리면서 출발선 앞에 섰다.

"으음…… 시도, 비틀거리고 있구나. 몸이 좋지 않다면 무리하지 말거라."

"아…… 괜찮아."

시도는 그렇게 말하면서 손을 흔들었다. 그 모습을 본 토카는 으음 하고 낮은 신음을 흘렸다. 불안하기는 하지만…… 본인이 괜찮다고 하니 토카가 더 참견하는 것도 좀 그랬다.

"—좋아. 시작할게. 남학생의 평균은 7.38초, 여학생의 평균은 9.02초야. 다들 힘내."

측정 담당 학생은 그렇게 말한 후, 신호를 보내듯 손을 들었다. 그러자 토카를 비롯한 학생들은 지면에 손을 대고 크라우칭 스타트 자세를 취했다.

"그럼…… 준비, 시작!"

측정 담당 학생이 힘차게 손을 휘둘렀다.

토카는 다리에 힘을 주면서 앞쪽을 향해 몸을 발사시키듯 지면을 박찼다. 그리고 그대로 남학생들을 따돌리면서 운동장을 질주했다.

하지만 독주 중인 줄 알았던 토카의 옆에 누군가가 있었다. —바로 오리가미였다.

"큭……!"

토카는 자신과 나란히 달리고 있는 오리가미를 힐끔 쳐다보았다. 그녀의 표정에서는 아직 여유가 느껴졌다. 아마 지금까지 측정했던 종목과 마찬가지로, 골 직전에 토카를 제쳐서 0.1초 차이로 승리할 심산인 것이리라.

"그렇게는 안 돼……!"

토카는 주먹을 말아 쥐면서 더욱 스피드를 올렸다. 하지만 오리가미도 그에 맞춰 속도를 조절하면서 토카에게서 떨어지지 않았다. 두 사람은 경쟁하듯 점점 속도를 올렸다.

하지만— 그 순간, 토카는 눈치챘다.

토카는 오리가미를 향한 라이벌 의식 때문에 여자 고등학생의 평균을 크게 상회하는 속도로 달리고 있었던 것이다.

"아차……."

이러다 엄청난 기록이라도 세워버린다면 괜히 주목을 받고 말 것이다. 그렇게 되면 토카를 비롯한 정령들을 돌봐주고 있는 〈라타토스크〉에 폐를 끼치고 말 것이다. 대체 어떻게 하면—.

토카가 그런 생각을 하고 있을 때…….

무언가의 그림자가 엄청난 속도로 토카의 옆을 가르고 지나갔다.

"음—?"

다음 순간, 토카는 알게됐다.

그것이, 로켓을 연상케 할 만큼 엄청난 속도로 운동장을 질주한 시도의 그림자라는 사실을 말이다.

"어?! 이, 이츠카 군의…… 기록은, 4.3초예요……."

"뭐?!"

"잠깐만. 세계 기록이 5.56초였을 텐데?!"

"게다가 이츠카 군은 스타트 직후에 잠시 멍하니 서 있었잖아?!"

"어, 그럼 실제로는 몇 초인 거야?!"

골 지점에 서 있던 학생들이 술렁대기 시작했다.

"으음…… 다들 왜 그렇게 놀라는……."

하지만 당사자인 시도는 딱히 신경 쓰지 않는 것 같았다. ……아니, 의식이 몽롱해진 상태에서 머리를 꾸벅거리다, 그대로 힘없이 지면에 쓰러졌다.

"윽! 시도!"

"시도—."

토카와 오리가미는 더욱 속도를 올리더니 곧 지점을 통과해 시도의 곁으로 뛰어갔다.

◇

……뭔가가 이상했다.

시도는 의식이 몽롱해진 상태에서 생각에 잠겨 있었다.

현재 시도가 있는 곳은 양호실 침대 위였다. 몸이 무거워졌기에 이곳에서 쉬고 있는데, 몸이 좋아지기는커녕 더욱 나빠지고 있었다.

눈앞이 흐릿하고, 머릿속이 멍하며, 몸은 열기를 띠고 있는 데다, 나른함이 온몸을 가득 채우고 있었다. 마치 독감에 걸린 것만 같았다.

하지만 문제는 그게 아니었다.

"……나, 대체 어떻게 된 거지?"

시도는 낮은 목소리로 중얼거리면서 희미하게 떨리고 있는 오른손을 들어 올렸다.

—몇 시간 전, 악력계를 파괴하고, 공을 별로 만들어버린 오른손을 말이다.

클래스메이트들과 체육 교사도 놀란 것 같지만, 가장 경악한 이는 바로 시도였다. 시도는 몸에 거의 힘을 주지 않았다. ……아니, 전력을 다하더라도 그런 결과를 낼 수 있을 리가 없는 것이다.

이래서야 마치—.

"……정령……."

시도는 목소리라고 해도 될지 의문일 만큼 쉰 목소리로 중얼거렸다.

그렇다. 그 힘은 토카를 비롯한 정령들이 지닌 힘과 비슷하다는 생각이 들었던 것이다.

분명 시도는 자신에게 마음을 연 정령의 영력을 키스를 통해 봉인하는 능력을 지녔다.

그리고 한정적이기는 하지만 정령의 힘인 천사를 현현시켜서 싸운 적도 있다.

하지만 오늘처럼 적이 나타난 것도 아닌 데다, 누군가가 위기에 처한 것도 아닌 상황에서 아무런 자각 없이 힘을 발현시킨 것은 처음이었다.

"대체 어떻게 된 거지……."

바로 그때, 침대 주위에 쳐져 있던 커튼이 힘차게 걷혔다.

"시도!"

자리를 비웠던 양호교사가 돌아온 줄 알았는데— 그렇지 않았다. 커튼을 걷은 사람은 중학교 교복을 입은 자신의 여동생, 코토리였다.

"어라…… 코토리? 네가 왜 이런 곳에……."

"다른 애들한테서 연락을 받았어. 열이 난 시도가 쓰러졌다고— 게다가 정령의 힘을 사용했다면서? 몸이 안 좋은…… 물어볼 필요도 없는 것 같네."

코토리는 시도를 보면서 심각한 표정을 지었다.

"혹시…… 뭔가 짐작 가는 데라도 있어……? 몇 시간 전부터, 몸이 이상해……. 나도 뭐가 어떻게 된 건지……."

"……일단 〈라타토스크〉의 시설에서 검사를 받아보자. 학교 뒤편에 차를 대기시켜뒀어. 걸을 수 있겠어?"

"응…… 걷는 것 정도는 할 수 있을 거야."

시도는 말을 이으면서 천천히 몸을 일으키더니 침대 옆에 둔 실내화를 신었다.

그리고 코토리의 손을 잡고 양호실을 나섰다.

"으, 윽……."

시도는 후들거리는 발걸음으로 복도를 걸었다. 시도도 모르는 사이에 점심시간이 된 것 같았다. 도시락을 든 학생들의 모습이 때때로 눈에 들어왔다. 중학교 교복을 입은 코토리, 그리고 그녀에게 부축을 받으며 걷는 시도를 호기심 어린 눈길로 쳐다보는 이도 있었지만, 지금은 그들을 신경 쓸 여유가 없었다.

가능하면 교실로 돌아가서 가방과 교과서를 챙기고 싶지만, 지금은 계단 하나를 오르는 것도 힘들었다. 나중에 토카나 다른 사람에게 부탁해서 챙겨달라고 하는 편이 나을 것이다.

"—시도! 코토리!"

시도가 그런 생각을 하면서 걸음을 옮기고 있을 때, 앞쪽에서 토카의 목소리가 들렸다.

천천히 고개를 들어보니, 토카 외에도 오리가미와 야마이 자매가 종종걸음으로 다가오는 모습이 눈에 들어왔다.

"……너희들. 이런 데서 뭐 하고 있는 거야……."

시도가 묻자, 야마이 자매는 멋진 포즈를 취하면서 대답했다.

"뻔하지 않느냐. 점심시간이 되었기에 시도의 안위를 살피러 양호실로 향하던 참이었느니라."

"질문. 시도야말로 뭐 하고 있는 거죠. 쉬어야 하는 것 아닌가요?"

"응……. 오늘은…… 조퇴할까 싶어서 말이야……. 코토리가 차를 준비해놨다고 해서 나가던 참이야……."

시도가 그렇게 말하자. 네 사람은 납득한 것처럼 고개를 끄덕였다. 그 직후, 오리가미가 한 걸음 앞으로 나섰다.

"그럼 거기까지 어깨를 빌려줄게. 원한다면 허리를 빌려줄 수도 있어. 잡아, 시도."

"으음……."

토카는 오리가미의 말을 듣고 무슨 말을 하려고 했지만, 결국 입을 다물었다. 오리가미에게 선수를 빼앗긴 것은 분하지만, 괴로워하는 시도를 보고 다툴 때가 아니라고 판단한 것이리라.

"응…… 미안해. 하지만 곧 괜찮아질— 우왓."

걸음을 헛디딘 시도는 왼쪽에 있던 창문을 손으로 짚었다.

바로 그 순간이었다. 시도가 손을 댄 부분을 중심으로 사방으로 금이 가더니, 쨍하는 메마른 소리를 내면서 유리 파편이 튀었다.

"어……?"

시도가 얼빠진 소리를 내면서 눈 깜짝할 사이에 바람이 잘 통하게 된 창문을 응시했다. 주위에 있던 학생들이 눈을 동그랗게 뜨면서 시도 쪽을 쳐다보았다. 우연히 근처에 있던 아이, 마이, 미이가 느닷없이 언성을 높였다.

"어? 방금 그 소리……."

"우와, 유리가 깨졌어!"

"뭐야? 이츠카 군, 혹시 한낮에 학교 창문을 박살 내고 다니는 거야? 무엇으로부터 졸업하려는 건데?"

"아, 아냐. 나는 아무 짓도……."

시도가 당황하면서 창문에서 떨어졌다. 그리고 또 몸을 주체하지 못하고 벽을 손으로 짚었다.

그러자 전혀 힘을 주지 않았는데도 단단한 벽이 스펀지케이크처럼 도려내졌다. 그 모습을 본 아이, 마이, 미이가 또 경악했다.

"우왓! 어?! 방금 그건 뭐야?!"

"손에 닿은 게 전부 박살 나고 있잖아?!"

"대체 얼마나 상처 난 영혼이길래?!"

"시, 시도! 아까부터 뭐 하는 것이냐! 대체—."

토카가 걱정스러운 표정을 지으며 말했다.

"나도 뭐가 뭔지……."

바로 그때, 시도가 눈을 가늘게 떴다. 벽이 파괴되면서 주위에 자욱하게 날린 미세한 먼지들이 시도의 코를 자극한 것이다.

"—에, 에취!"

그는 무심코 재채기를 하고 말았다.

하지만 그 순간, 복도에서는 거대 태풍 같은 폭풍이 생겨났다. 창문이 삐걱거렸고, 프린트 용지가 날렸으며, 여학생들의 치마가 말려 올라갔다.

"우왓?!"

"……."

"우, 우꺄아아앗!"

"동요. 뭘 하는 거죠?"

"나, 나는 아무 짓도…… 윽……."

시도는 고개를 저은 후— 그대로, 무너지듯 복도에 쓰러졌다.

◇

"—설마 〈데빌〉이 〈라타토스크〉에게 넘어갈 줄이야."

DEM인더스트리 일본 지사에 있는 한 방에서, 상무 이사(매니징 디렉터) 아이작 웨스트코트는 작게 한숨을 내쉬었다.

탁한 애시블론드빛 머리카락과 칼날 같은 두 눈이 인상적인 30대 중반 정도의 남성이었다. 어둠을 연상케 하는 검은 양복을 깔끔하게 입은 그는 책상 위에 펼쳐놓은 자료를 쳐다보고 있었다.

"죄송합니다."

그 말에 대답한 이는 그의 옆에 서 있던 플래티나 블론드빛 머리카락을 지닌 소녀였다.

엘렌 메이저스. DEM이 소유한 어둠의 실행 부대인 제2집행부의 부장이자 세계 최강이라 불리는 마술사(위저드)다.

웨스트코트는 어깨를 으쓱인 후, 고개를 저었다.

"자네가 사과할 필요는 없어. 〈데빌〉 건은 나조차도 예상하지 못했으니까 말이야."

하지만, 하고 말한 그는 한숨을 내쉬었다.

"—자연 발생한 반전 정령이라는 귀중한 샘플을 놓친 건 유감이야. 그렇게 완벽한 반전체는 〈프린세스〉 외에는 본 적이 없거든."

그는 그렇게 말한 후 의자를 돌려 창밖을 쳐다보았다.

웨스트코트와 엘렌은 약 석 달 전, 정령 〈프린세스〉를 포획해서 반전시키는 데 성공했다. 그 과정에서 일본 지사 사옥과 주변 시설, 그리고 수많은 병기와 위저드를 잃었지만 — 경미한 피해였다.

반파된 사옥과 시설은 리얼라이저로 이미 복구했고, 〈밴더스내치〉는 또 만들면 된다. 우수한 위저드를 잃은 것은 아쉽지만, 웨스트코트와 엘렌의 비원을 이루기 위한 초석이라고 생각한다면, 그것 또한 어쩔 수 없는 희생이다.

"물론 정령이 원래부터 반전한 상태로 나타날 리는 없겠지. —〈데빌〉은 대체 어떤 이유로 절망의 밑바닥에 빠진 걸까? 정말 흥미가 샘솟는걸. 가르쳐줬으면 싶을 정도야."

그렇게 말한 웨스트코트는 의자에서 일어났다.

"그건 그렇고— 엘렌. 아까 네릴 섬의 시설에서 연락이 왔어."

네릴 섬. 그 명칭을 들은 엘렌의 눈썹 가장자리가 희미하게 흔들렸다.

그 명칭은 DEM이 소유한 태평양의 작은 섬, 그리고 그 섬의 지하를 개조해서 만든 실험 시설을 가리킨다.

엘렌이 그 명칭에 반응한 것은 당연했다. 그것도 그럴 것이 그 시설의 최심부에는 DEM의 최고 기밀— 과거 그녀가 포획했던 특수 재해 지정 생명체가 감금되어 있기 때문이다.

"아무래도 『자재A』의 **처리**가 완료된 것 같아. 〈프린세스〉의 반전은 우리에게 큰 도움이 되었지. 추정 성공률은 75퍼센트. ―나쁘지 않은 수치라고 생각하지 않아?"

"그럼……."

엘렌의 말을 들은 웨스트코트는 입술을 일그러뜨렸다.

"그래. ―슬슬, 우리도 완벽한 반전체를 하나, 만들어보지 않겠어?"

# 제2장 제왕의 행진

〈라타토스크〉가 소유한 지하 회의실.

코토리는 원탁에 놓인 봉제 인형들과 회의를 하고 있었다.

물론 진짜로 봉제 인형과 이야기를 나누는 것은 아니었다. 봉제 인형의 밑에는 스피커가 놓여 있으며, 그것들은 세계 각지에 있는 〈라타토스크〉 최고 간부들과 연결되어 있었다.

『—이츠카 사령관. 이게 어떻게 된 거지?』

울상을 지은 고양이 인형 밑에 있는 스피커에서 그 인형에 딱 어울리는 한심한 목소리가 흘러나왔다.

『이츠카 시도가 폭주할 가능성은 매우 낮다고 하지 않았던가?』

"……자료에는 문제가 없습니다. 이번 케이스는 원래 일어나선 안 되는 일입니다. 모든 책임은 저에게 있습니다."

『자네가 책임을 진다고 해서 어떻게 될 문제라고 생각하나?』

침을 질질 흘리고 있는 불도그 봉제 인형이 노기가 서린 목소리를 냈다.

『현재 그는 정령 여덟 명의 영력을 지니고 있어. 그런 그가 폭주하기라도 한다면…… 얼마나 큰 피해가 발생할지 알기는 하나?!』

그런 그를 말리듯, 못난이 고양이 인형이 말했다.

『진정하게. —이런 때를 대비해 〈다인슬레프〉를 준비해뒀지 않나.』

"……윽."

그 말을 들은 코토리는 미간을 찌푸리면서 혐오에 찬 표정을 지었다.

그러고 보니 시도의 능력을 이용한 정령 봉인 작전을 승인할 때, 이 『조건』을 제시한 이는 바로 저 못난이 고양이였다.

『……하지만 이츠카 시도는 정령들에게 있어 특별한 존재가 되어 있지. 지금 그를 죽이면 정령들이 전부 폭주하거나 최악의 경우 반전해버리지 않을까?』

『아, 보통은 그렇게 되겠지. 하지만 지금이라면 그리되지 않을 거라네.』

『그건……. 아무튼 어찌 되었든 간에 이렇게 되면 우리가 지금까지 모은 정령의 힘을 전부 잃게 되지 않나.』

『알고 있네. 하지만 최악의 결말을 맞이하는 것보다는 낫지 않을까?』

못난이 고양이의 말을 들은 바보 개는 입을 다물었다. 이 상황에서 그것은 긍정을 가리키는 행위나 다름없었다.

"……."

코토리는 어금니를 깨물었다. ―하나같이 코토리를 짜증나게 만들었다.

그런 코토리의 마음을 눈치챈 것은 아니겠지만, 못난이 고양이는 코토리를 향해 말했다.

『이츠카 사령관. 이렇게 된 이상, 만일의 경우에는 그의 처리를 부탁하네. 그게 자네의 임무야.』

"……."

코토리는 지금 바로 스피커 앞으로 뛰어가서 방금 그 말을 한 상대를 두들겨 패주고 싶은 충동을 억누르면서 대답하려 했다.

하지만 코토리가 입을 열기도 전에, 원탁의 가장 안쪽에 놓인 다람쥐 인형― 이 원탁회의의 의장인 엘리엇 우드먼이 입을 열었다.

『―이츠카 사령관, 착각하지 말게.』

"예……?"

『자네에게 있어 가장 중요한 임무는 만일의 사태가 벌어졌을 때 그를 처리하는 게 아니라네. 그 「만일의 사태」가 일어나지 않도록 하는 거야.』

"……읏!"

『부탁하네, 이츠카 사령관.』

"……예!"

코토리는 자세를 바로 하면서 경례를 했다.

◇

시도가 쓰러진 후, 몇 시간이 흘렀다. 토카 일행은 교복 차림으로 휴게실로 보이는 넓은 장소에 모여 있었다.

이곳은 〈라타토스크〉가 소유한 지하 시설에 있는 공간이다. 벽 쪽에는 자동판매기 몇 대와 모니터, 관엽 식물이 놓여 있고, 의자와 테이블이 적당한 간격으로 배치되어 있었다.

원래 업무 중인 기관원들이 때때로 모여 담소를 나누는 공간이지만— 현재 이 방은 수술이 진행 중인 병원의 대합실처럼 무거운 분위기로 가득 차 있었다.

시도가 쓰러진 후, 토카 일행은 함께 그를 밖으로 옮겼다. 그리고 〈라타토스크〉 측에서 나온 사람들과 합류한 후, 시도와 함께 이 시설로 온 것이다.

조치와 해석에 어느 정도 시간이 걸리기 때문에 집에 돌아갔다 오라는 말을 들었지만, 토카도, 오리가미도, 야마이 자매도, 이곳을 떠나려 하지 않았다. 만약 자신들이 자리를 비운 사이에 시도에게 무슨 일이 있기라도 하면…… 하는 생각 때문에 도저히 집에 갈 수가 없었던 것이다.

"시도는 괜찮은 걸까……."

토카는 조용한 방 안에서 몇 번을 입에 담았는지도 기억이 나지 않는 말을 중얼거렸다.

하지만 누구도 그런 그녀를 탓하지 않았다. 그럴 만도 했다. 이 자리에 있는 모든 이들이 그런 불안을 느끼고 있었기 때문이다.

"분명…… 괜찮을 거예요."

『맞아 맞아. 다 같이 간병해주면 금방 좋아질 거야~. 아, 어쩌면 열이 더 날지도 모르겠네~.』

토카의 말에 대답한 이는 그녀의 맞은편에 앉은 조그마한 체구의 소녀, 그리고 그 소녀가 왼손에 끼고 있는 토끼 모양 퍼핏 인형이었다.

요시노와 그녀의 친구인 『요시농』. 토카와 마찬가지로 이츠카 가(家)의 옆에 있는 맨션에서 살고 있는 정령이다. 그녀도 시도가 쓰러졌다는 말을 듣고 서둘러 이곳으로 온 것이다.

"그, 그래……. 코토리와 레이네도 있지. 분명……."

하지만 토카가 고개를 끄덕이려고 한 순간, 요시노의 옆에 앉아 있던 눈매가 험악한 소녀가 어두운 표정을 지으면서 입을 열었다.

"……과연 그럴까? 만일의 경우라는 게 있잖아. 혹시 모르니 각오는 해두는 편이…….”

그녀는 암담한 기분을 더욱 가라앉게 만드는 소리를 했다. 구원의 여지조차 없는 그 말에 토카는 아연실색한 표정을 지었다.

“그, 그럴 수가…….”

“거기! 당치도 않은 소리 하지 말거라!”

“질책. 그래요, 나츠미. 토카는 순진하니까 믿어버릴 거란 말이에요.”

야마이 자매가 입을 열었다. 그러자 나츠미는 어깨를 부르르 떨더니 안 그래도 움츠리고 있던 몸을 더욱 움츠렸다.

“……하지만 내 경험에 따르면, 희망을 가지고 있다가 절망에 빠지는 것보다, 어느 정도 최악의 상황을 각오하고 있다가 절망에 빠지는 게 그나마 낫다구…….”

“그러니까 절망에 빠지는 걸 전제로 이야기하지 말란 말이야!”

“……미, 미안해…….”

카구야가 새된 목소리로 고함을 지르자, 나츠미는 미안해하면서 고개를 돌렸다.

그 후로 한동안 침묵이 흘렀다. 벽에 설치된 아날로그시계의 바늘 소리가 크게 느껴질 정도였다.

“—그것보다.”

이 정적을 부수듯, 오리가미가 입을 열었다.

"아무리 몸 상태가 나쁘다고 해도, 시도는 오늘 정말 이상했어. 마치— 힘을 제어할 수 없는, 정령 같았어."

"……."

오리가미가 그렇게 말하자, 그 광경을 두 눈으로 본 토카와 야마이 자매가 낮은 신음을 흘렸다.

지금까지도 시도의 몸 상태가 좋지 않았던 적은 몇 번 있다. 특히 볼거리에 걸렸을 때는 많이 괴로워했었다.

하지만 오리가미의 말대로 오늘은 시도가 정말 이상했다.

"그건…… 시도도 정령이라는 것이냐?"

"몰라."

오리가미는 표정을 바꾸지 않은 채 고개를 저으며 말했다. 그리고 그 후 "하지만." 하고 말을 이었다.

"시도가 평범한 인간이라고는 도저히 생각할 수 없어. 게다가 시도가 어째서 정령의 힘을 봉인할 수 있는지에 관한 설명도 우리는 듣지 못했어."

"……그건, 시도와 〈라타토스크〉가 우리에게 뭔가를 숨기고 있다는 거야?"

요시노의 뒤에 숨은 나츠미가 말했다.

"그렇게 단정 지을 수는 없어. 시도가 지닌 능력의 정체나, 그것을 지닌 이유를 본인이나 〈라타토스크〉도 완전히 파악하지 못했을 가능성이 있어. —하지만 그걸 제쳐두더라도, 〈라타토스크〉라는 조직에는 비밀이 너무 많아."

오리가미는 담담한 목소리로 말했다.

"나를 구해준 건 감사하게 생각하고 있어. 말로 다 표현할 수 없을 만큼 말이야. 하지만 대체 왜 〈라타토스크〉는 정령을 보호하려고 하는 걸까? 이런 위험한 행동에 아무런 대가도 바라지 않으면서 막대한 비용을 쏟아붓고 있다고는 도저히 생각할 수 없어."

"그건……."

토카는 입을 다물었다.

아니, 토카만이 아니었다. 카구야도, 유즈루도, 요시노도, 나츠미도, 오리가미의 시선을 받고 입을 다물었다.

확실히 오리가미의 말이 옳을지도 모른다. 토카는 이 세계에 대해 아무것도 알지 못했기에 처음에는 의문을 가지지 않았다. 하지만 인간으로서 살아가면서, 〈라타토스크〉라는 조직이 얼마나 엄청난 힘을 지녔는지 이해하게 된 것이다.

그런 조직이 정령들을 위해 전력을 다하고 있는 것이다. 당연한 듯이 그 은혜를 누리고 있을 때는 거의 의식하지 않았지만, 〈라타토스크〉가 없었다면 정령들은 학교에도 다니지 못했을 것이다.

〈라타토스크〉는 왜 정령들을 이렇게 소중히 여기는 것일까. ―그 질문에 대한 답은 이 자리에 있는 그 누구도 알지 못했다.

"으음……."

토카가 굳은 표정을 지으며 신음을 흘린 순간, 문이 열리더니 코토리와 레이네가 안으로 들어왔다.

"—코토리!"

"아, 토카. 시도가 폐를 끼쳤지? 미안해."

토카가 말을 걸자, 코토리는 어깨를 으쓱하면서 방 안을 둘러보았다.

"……응? 다들 왜 그래?"

코토리는 방 안을 가득 채우고 있는 기묘한 분위기를 눈치채고 고개를 갸웃거렸다. 그러자 오리가미는 화제를 바꾸려는 듯 고개를 저었다.

"아무것도 아냐. 그것보다 시도는 어때?"

"……응?"

코토리는 또 영문을 모르겠다는 눈길로 정령들을 둘러본 후, 곧 고개를 끄덕였다.

"그럼 설명을 시작하겠는데…… 미쿠가 아직 안 온 것 같네."

코토리가 그렇게 말하자, 옆에 있던 레이네가 낮은 목소리로 대답했다.

"……연락을 했지만, 지금 일 때문에 간사이 지방에 있는 것 같아."

"으음, 그럼 어쩔 수 없네. 뭐, 오늘 안에만 와주면 어떻게

든 되겠지. 그럼 먼저 너희에게—."

코토리가 말을 이으려고 한 순간, 복도 쪽에서 타다다다닷 하고 거친 발소리가 들렸다.

"—다아아아아알리이이이이이이이이잉!!"

"어?"

코토리가 눈을 동그랗게 뜬 순간, 열려 있던 문을 통해 누군가가 뛰어 들어오더니, 문 앞에 서 있던 코토리를 꼭 끌어안았다.

남보랏빛 머리카락을 지닌 키가 큰 소녀였다. 화장을 철저하게 한 그녀는 무대 의상으로 보이는 화려한 옷 위에 코트를 걸치고 있었다.

"미, 미쿠?!"

코토리가 새된 비명을 질렀지만 미쿠는 눈치채지 못했는지 양손에 힘을 주면서 그녀를 꼭 끌어안으며 볼을 비볐다.

"달링, 괜찮아요?! 달링이 쓰러졌다는 말을 듣고 너무 걱정된 나머지 헬리콥터를 빌려 타고 돌아온 당신의 미쿠예요~!"

"잠깐…… 지, 진정하라구—."

"아앗, 불쌍한 달링~! 이렇게 조그마해지다니……! 팔과 다리도 말랑말랑해졌잖아요~! 피부도 매끈매끈한 게 마치 코토리 양 같아요~!"

"같은 게 아니라, 진짜 나라구!"

코토리가 고함을 지르자, 그제야 미쿠는 눈을 치켜떴다.

"어머~, 코토리 양. 이런 데서 뭐 하고 있는 거예요~? 제가 모르는 사이에 제 품에 들어온 건가요? 우후후, 코토리 양도 어리광쟁이군요~."

"너, 일부러 그러는 거지?! 그리고 내 몸 좀 그만 만지작거려줄래?!"

"아앙, 너무해요~."

코토리는 미쿠를 밀쳐내듯 그녀에게서 벗어났다. 그러자 미쿠는 아쉽다는 듯이 입술을 삐죽 내밀었다.

"정말…… 자, 빨리 자리에 앉아. 지금부터 시도의 상태에 관해 설명할 거야."

"예~."

미쿠는 순순히 대답한 후, 근처에 있는 의자에 앉았다. 나츠미는 온몸을 부르르 떨면서 미쿠의 위치에서 보이지 않는 장소로 이동했다.

코토리는 그 모습을 바라보며 작게 한숨을 내쉰 후, 레이네를 쳐다보았다.

"그럼 레이네. 부탁해."

"……응."

레이네는 대답을 한 후, 들고 있던 단말을 테이블 위에 올려놓고 조작하기 시작했다.

그러자 이 방의 벽에 설치된 거대한 모니터에 레이네의 단말과 같은 화면이 표시되었다.

“이건…….”

토카는 낮은 목소리로 중얼거리면서 그 모니터를 올려다보았다.

그 모니터에는 시도의 전신(全身)사진과 숫자, 그리고 그래프 같은 것이 표시되어 있었다.

“시도의 현재 상태를 해석해서 도식화한 거야. ―〈프락시너스〉가 있으면 더 간단했겠지만, 어디 사는 누구 씨가 화끈하게 박살을 내줬거든.”

“그런 심한 짓을 하는 사람도 다 있구나.”

코토리가 빈정거리듯 말하자, 오리가미는 주저 없이 시치미를 뗐다. 그 말을 들은 코토리는 쓴웃음을 지으면서 어깨를 으쓱했다.

“―뭐, 아무튼 이게 시도의 현재 상태야. 이 그래프의 빨간 선은 시도의 영파 반응을 가리켜. 솔직히 말해 비정상적인 수치야. ……뭐, 인간에게서 영파가 관측되는 것 자체가 비정상적인 일이지만 말이야.”

“으음…… 잘은 모르겠지만, 왜 그런 일이 일어난 것이지?”

토카가 묻자, 코토리는 「레이네」 하고 말했다. 그러자 레이네가 모니터에 표시된 화면을 바꿨다.

이번에 표시된 것은 한가운데에 시도가, 그리고 그 주위에 토카와 오리가미를 비롯한 정령들이 배치되어 있는 화면

이었다. 시도와 정령들 사이에는 옅은 빛을 뿜는 선이 표시되어 있으며, 그 선을 따라 빛이 이동하고 있었다.

"……이게 평상시의 상태라고 생각해. 신은 정령의 영력을 봉인하는 힘을 지녔지만, 그렇다고 해서 정령에게서 완전히 힘을 빼앗아 격리하고 있는 건 아냐. 자신과 정령을 눈에 보이지 않는 파이프로 이은 후, 대부분의 영력을 자신의 몸 안에 보유하면서 조금씩 순환시키는 상태라고 보면 돼."

레이네는 말을 하면서 키보드를 두드렸다. 그러자 시도 쪽에 있던 빛이 파이프를 통해 정령들에게 분배되었다.

"……정령들의 정신 상태가 불안정해지면 이런 상태가 되는 거야. 신과 너희 사이에 존재하는 영력의 비율이 바뀌면서, 너희는 한정 영장과 천사를 현현시킬 수 있게 되는 거야."

"흠…… 그러한 게냐."

"지적. 카구야는 이해한 척하고 있어요."

"처, 척이 아냐! 진짜로 이해했다구!"

카구야와 유즈루가 말다툼을 시작하자, 레이네가 어험 하고 작게 헛기침을 했다.

"……계속해도 될까?"

"아, 예~……."

"사죄. 부탁해요."

두 사람이 고개를 푹 숙이자, 레이네는 또 단말을 조작해서 아까 화면으로 되돌렸다.

"……그리고, 이게 현재 신의 몸에 일어난 일이야."

레이네가 입을 연 순간, 이번에는 시도와 정령 사이에 존재하는 파이프가 가늘어지면서, 그 파이프를 통해 흐르던 빛의 움직임이 둔해졌다.

"이, 이건……."

"……해석 결과, 신과 너희 사이의 파이프가 좁아져서 영력의 순환을 방해하고 있는 상태라는 게 확인됐어."

"그럼…… 어떻게 되는 건가요?"

요시노가 불안함을 나타내듯 눈썹을 팔자 모양으로 만들면서 묻자, 레이네는 천천히 고개를 끄덕였다.

"……원래라면 순환되어야 하는 영력이 신의 몸에 계속 쌓여서— 오버 히트 같은 상태가 되고 말 거야. 그게 신에게 나타난 증상의 원인이지. 그리고 방출 장소를 잃은 영력이 신의 몸을 통해 발현되어, 비정상적인 신체 능력으로서 나타나고 있는 거야."

레이네가 키보드를 두드리자, 화면에 표시된 시도가 붉은색으로 물들었다.

"뭐…… 그럼 큰일이지 않느냐!"

토카가 책상을 내려치면서 자리에서 일어나자, 코토리는 팔짱을 낀 채 입에 문 막대 사탕의 막대 부분을 쫑긋 세웠다.

"맞아. 솔직히 말해 좋은 상황은 아니야. 이 상태가 오래

유지되면 시도의 몸 안에 쌓인 영력이 폭주할 가능성도 있어. 여덟 명 몫의 영력이 폭발하는 거지. 상상만 해도 소름이 돋아."

"시, 시도를 구할 방법은 없는 것이냐?!"

토카가 애원하는 듯한 눈빛을 띠며 코토리에게 다가갔다. 그러자 코토리는 토카를 진정시키려는 것처럼 그녀의 머리를 살며시 두드렸다.

"물론, 있어. —그래서 너희를 부른 거야."

"음……?"

토카가 눈을 동그랗게 뜨자, 코토리는 의자에서 일어나며 말을 이었다.

"간단히 말해, 시도와 우리 사이의 파이프를 원래 상태로 되돌리면 되는 거야. 그렇게만 되면, 영력이 순환되어서 시도의 증상도 개선될 거야."

"그, 그렇구나!"

"하지만 어떻게 하면 파이프가 다시 넓어지나요~?"

미쿠는 손가락을 턱에 대면서 고개를 갸웃거렸다.

그러자 코토리는 거북한 표정을 지으며 우물거렸다.

"으음, 그게 말이야……."

"……어, 설마, 방법도 모르면서 우리 보고 어떻게든 해보라고 떠넘기는 거야?"

나츠미가 도끼눈을 떴다.

“아, 아냐. 방법은 알아.”

“……으음, 그럼 그 방법이란 게 엄청 어려운…… 건가요?”

“아니…… 그렇지도 않아.”

“그럼 가르쳐주세요~. 대체 어떻게 하면 달링을 구할 수 있는 거죠~?”

“그, 그건…….”

코토리가 볼을 붉힌 채 입을 열지 못하자, 보다 못한 레이네가 말했다.

“……키스, 야.”

“뭐?”

“방금, 뭐라고…….”

레이네는 깜짝 놀란 그녀들을 향해 고개를 끄덕이며 말했다.

“……신은 정령의 영력을 봉인하기 위해 키스를 하지. 즉, 그 행동을 통해 쌍방 간에 파이프가 형성되는 거야. 좁아진 파이프를 다시 넓히기 위해서는 너희 모두가 신과 키스를 해야 해.”

“오, 오호라…….”

토카는 고개를 끄덕인 후, 자신의 입술을 손가락으로 매만졌다.

그러고 보니 토카의 힘이 봉인됐을 때, 그녀는 시도와 키스를 했다. 그 키스를 통해 두 사람 사이에 파이프가 형성

된 것이라면, 또 키스를 함으로써 좁아진 파이프를 다시 넓힐 수 있으리라.

하지만. 거기까지 생각이 미친 토카는 「음?」 하고 고개를 갸웃거렸다.

"잠깐만 있어봐라, 레이네. ……그 말은, 시도가 우리 모두와 키스를 했다는 것이냐?"

"……응? 맞아."

토카는 레이네의 말을 듣고 눈을 치켜떴다.

"뭐……. 저, 정말이냐?!"

"어, 혹시 토카 양은 몰랐던 건가요~?"

"으음…… 그럼 어떻게 봉인했다고 생각한 거야?"

"음……? 그야……."

토카는 카구야의 말을 듣고 생각에 잠기듯 턱에 손을 댔다. 토카는 키스와 봉인이 같다는 것 자체를 알지 못했던 것이다.

"그래…… 그랬던 것이냐."

토카는 일전에 시도에게 정령들을 구해달라고 부탁을 했었다. 하지만 그와 동시에 자신 이외의 다른 사람과는 키스를 하지 말라고 말했다.

"으음……."

그때 시도가 난처한 표정을 지은 이유를 이제야 알 것 같았다. 정령의 힘을 봉인하기 위해서는 꼭 키스를 해야만 하는 것이다. 토카는 자신도 모르는 사이에 시도에게 무리한 요구를 하고 말았다.

"저기~, 토카 양?"

미쿠가 생각에 잠긴 토카의 얼굴을 쳐다보면서 말했다. 그러자 토카는 고개를 번쩍 들었다.

"좋아…… 하자! 나는 하겠다! 시도는 나를 구해줬지. 이번에는 내가 시도를 구할 차례다!"

토카가 그렇게 말하자, 주위에 있는 정령들도 그녀의 뒤를 이어 입을 열었다.

"저도…… 최선을 다할게요……!"

"흥…… 손이 많이 가는 오빠라니깐."

"크크! 입맞춤으로 잠에서 깨어난다, 라. 마치 동화 속 이야기 같지 않느냐!"

"동의. 잠자는 숲 속의 시오리 공주군요."

"어, 그게 뭔가요? 그 이야기 좀 자세하게 해주면 안 될까요~?"

"……지금은 그런 거에 관심 가질 때가 아니잖아."

"뭐든 상관없어. 시도를 구할 수 있는 데다 키스도 할 수 있다니 그야말로 일거양득이야. 협력하겠어."

정령들의 대답을 들은 레이네는 천천히 고개를 끄덕였다.

"……고마워. 그럼 지금 바로 신이 있는 병실로 안내할게. 시간을 끌면 끌수록 신만 더 괴로울 거야."

"음, 가자!"

토카는 힘찬 목소리로 그렇게 말하더니, 주먹으로 가슴을 두드리며 자리에서 일어났다. 다른 이들도 결의를 드러내듯 고개를 끄덕이면서 그녀의 뒤를 따랐다.

하지만 그녀들을 안내하듯 앞장서서 걷던 레이네가 방을 나선 직후, 갑자기 멈춰 섰다.

"……아, 그래. 혹시 다른 사람들 앞에서 키스하는 게 부끄러우면 따로따로 병실에 들어가는 것도 괜찮을 것 같은데…… 어떻게 할까?"

레이네의 말을 들은 정령들은 자신이 키스하는 모습을 상상하듯 흐음 하고 낮은 신음을 흘리더니— 곧 볼을 붉혔다.

"음…… 그리해주면 고맙겠다."

"그, 그래요……."

"훗……. 이 몸이 입맞춤을 하는 광경을 목격한 이의 두 눈은 결코 벗어날 수 없는 저주에 걸리고 말 것이니라."

"번역. 카구야는 부끄럽대요."

"그, 그런 말 한 적 없다구!"

역시 남들이 보는 앞에서 키스를 하는 건 다들 부끄러운 것 같았다. 그중에도 「으음~, 저는 괜찮은데요~. 달링 옆에 누워 있는 저한테 여러분 모두가 겸사겸사 키스를 해주면 좋겠어요~」 같은 소리를 하고 있는 소녀가 한 명 있지만, 그건 레어 케이스이리라.

"……흠. 그럼 그렇게 하자. 적당히 순서를 정해줘."

"응. 그렇게 할게."

코토리의 말에 정령들이 동의했다.

하지만—.

"나는 가장 마지막이라도 상관없어. 그리고 병실 문을 잠글 수 있는지 가르쳐줘. 방음 설비가 되어 있으면 더 좋겠어."

오리가미가 그렇게 말한 순간, 모두의 눈썹이 꿈틀거렸다.

"……역시, 다 같이 방에 들어가는 편이 좋을 것 같아."

"응. 그편이 낫겠어."

"이유가 뭐야?"

오리가미는 고개를 갸웃거렸지만, 다른 이들은 그녀의 말을 무시하며 레이네의 뒤를 따랐다.

그리고 긴 복도를 따라 걸은 후, 어느 한 방의 문 앞에 도착한 레이네는 걸음을 멈췄다.

"……여기야. 아마 아직 잠들어 있을 테니 조용히 들어가."

"음. 알았다."

토카는 고개를 끄덕인 후, 살며시 문을 열었다.

방 안은 진짜 병실처럼 꾸며져 있었다. 흰색으로 어우러진 여섯 평 정도 되는 공간에는 거대한 침대가 놓여 있었다.

그리고 그 위에는 고통 섞인 신음을 흘리고 있는 시도가—.

없었다.

"음……?"

"어…… 시도 씨, 는……."

방 안에 들어온 일행은 동시에 눈을 동그랗게 떴다.

그러는 것도 무리는 아니었다. 시도가 누워 있어야 할 침대에는 방금까지 누군가가 누워 있었다는 사실을 알리는 우묵한 자국과, 아무렇게나 뺀 듯한 링거 바늘, 그리고 시도의 몸에 붙어 있었어야만 하는 전극(電極)만이 존재했던 것이다.

◇

이날, 태평양에 존재하는 조그마한 섬, 메릴 섬은 어수선했다.

이곳은 지금으로부터 약 20년 전, 영국 기업인 DEM인더스트리가 구매한 후 지하에 대규모 실험 시설이 건조된 무인도다.

하지만 그 존재는 공표되지 않았으며, 섬의 위치는 지도에도 실리지 않았다. 즉, DEM이 세상에 알려지면 전 세계로부터 비판을 받을 실험을 하기 위한 시설인 것이다.

그렇기 때문에 평소 이 섬에 상주하고 있는 사람은 50명 정도의 연구원과 잡무를 담당하는 작업 요원 30명, 그리고 호위를 담당하는 위저드 몇 명이 다였다. —시설 안에 있는 피험체를 숫자에 넣는다면 두 배 이상으로 늘어나겠지만 말이다.

아무튼, 지상에서 본 네릴 섬은 일주일에 한 번꼴로 이뤄지는 물자 보급과 심심풀이 삼아 방문하는 본사의 높으신 분들 외에는 아무도 찾지 않는, 매우 조용한 섬이었다.

—그런 조그마한 섬에 현재 백 명가량 되는 위저드가 집결해 있었다. 게다가 다들 와이어링 슈트와 CR-유닛을 장비한 채 임전 태세를 갖추고 있었다. 게다가 섬 주위에는 원격 조작형 〈밴더스내치〉가 300대 이상 전개되어 있다고 한다. 이 섬의 평소 모습만 아는 이가 이 광경을 봤다면 전쟁이라도 일어났다고 생각할 것이다.

"……꽤나 삼엄한걸."

녹스는 수송기 콕피트에서 위저드들로 붐비는 활주로를 바라보면서 한숨을 내쉬었다. 그 말에 답하듯 옆에 앉은 부조종사 버튼이 고개를 끄덕이며 말했다.

"그 만큼 이 『자재A』가 중요하다는 거겠죠."

버튼은 그렇게 말하면서 콕피트 뒤편을 엄지로 가리켰다.

그렇다. 녹스와 버튼은 이 네릴 섬의 가장 깊은 곳에 안치되어 있던 중요 물자— 통칭 『자재A』 수송 임무를 맡고 있었다.

"뭐, 그건 그렇겠지. 그래도 이건 너무 과하잖아. 위저드의 숫자 좀 봐. 제7 함대가 여기를 공격하기라도 하는 거냐고."

녹스가 농담 투로 그렇게 말하자, 버튼은 쓴웃음을 지었다.

바로 그때, 녹스는 눈을 깜빡였다.

수송기의 직선상— 활주로 한가운데에 불현듯 사람 한 명이 서 있었던 것이다.

"응……?"

위저드나 네릴 섬의 연구원일 거라고 생각했지만…… 그렇지 않았다. 그 사람은 바로 젊은 소녀였다.

그림자와 피로 만든 듯한 드레스와 좌우 비대칭으로 묶은 검은 머리카락. 그리고— 시계 문자판 같은 왼쪽 눈.

"저건…… 뭐야? 할로윈은 두 달 전에 지나가지 않았어?"

녹스가 미심쩍은 목소리로 중얼거린 순간, 활주로에 있던 위저드들이 그 소녀를 발견한 것 같았다. 그들은 그 소녀를 향해 총을 겨누면서 고함을 질렀다.

『누구냐! 여기는 어떻게 들어온 거지?!』

통신기에서 위저드의 목소리가 흘러나왔다.

하지만, 다음 순간—.

『키히히, 드디어 찾았어요. **제2의 정령 씨.**』

통신기 너머로 그 소녀의 목소리가 들리는가 싶더니, 그녀의 발치에 있던 그림자가 총을 든 위저드들을 향해 늘어났다. 그리고 그 그림자에서 새하얀 팔 몇 개가 튀어나오더니, 위저드들을 그림자 안으로 끌고 들어갔다.

『이…… 이건, 뭐야……?!』

『그, 그림자가……?!』

『멍청한 놈! 함부로 다가가지 마라! 저 녀석은— 〈나이트메어〉다!』

위저드 중 한 명이 그렇게 외치자, 소녀의 입가에 미소가 맺혔다.

그러자 다음 순간, 융단처럼 펼쳐진 그림자에서 〈나이트메어〉와 같은 모습을 한 소녀들이 기어 나왔다.

『우, 우와아아아앗!』

『진정하고 「자재A」를 지켜라!』

위저드들이 CR-유닛을 전개하자, 〈나이트메어〉들이 그림자에서 고풍스러운 보병총과 단총을 꺼내 들었다.

—조용한 섬은 순식간에 처절한 전장으로 변하고 말았다.

완벽한 줄 알았던 호위 태세가 차례차례 돌파당했다. 그것도 그럴 것이, 그림자 안에서 소녀들이 무한정 샘솟고 있었던 것이다. 수송기가 적의 손에 들어가는 것은 시간문제였다.

『—녹스 조종사! 더는 버틸 수 없다! 수송기를 빨리 발진

시키도록!』

"농담하는 거지?! 아직 호위를 담당한 위저드가 타지 않았다고! 게다가 이런 상태의 활주로 위를 달리라는 거야?!"

『방법이 없다! 서둘러라!』

"크……!"

녹스는 인상을 쓰면서 조종간을 쥐었다.

―수송기에서 흘러나오던 낮은 구동음이 점점 커지기 시작했다.

그 소리를 놓치지 않은 〈나이트메어〉― 토키사키 쿠루미가 씨익 웃더니 손에 쥔 보병총을 치켜들면서 『쿠루미들』에게 말했다.

"놓치지 않을 거예요. 그렇죠―? 저희들."

쿠루미의 말에 답하듯, 몇 명의 분신이 수송기를 향해 몸을 날렸다.

하지만 다음 순간―.

"―윽!"

숨을 삼키는 듯한 소리가 들리나 싶더니, 수송기로 향하던 분신 다섯의 머리가 동시에 허공을 갈랐다. 잠시 후, 머리를 잃은 몸통들이 엄청난 양의 피를 뿜으며 지면에 쓰러지더니 경련을 일으켰다.

"……어머, 어머?"

날카로운 시선을 띤 쿠루미가 이 자리에 나타난 위저드를 쳐다보았다.

"……."

다른 위저드와는 다른— 엘렌 메이저스가 착용하는 것과 비슷한 디자인의 와이어링 슈트를 입은 금발 소녀였다. 아직 앳된 느낌이 남은 부드러운 얼굴에는 위험한 느낌이 감도는 표정이 맺혀 있었다.

쿠루미는 작게 코웃음 쳤다. 한눈에 다른 위저드와는 격이 다르다는 것을 눈치챘다. 임의 영역(테리터리)의 숙련도. 분신의 목을 순식간에 자른 솜씨. 범상치 않은 실력의 소유자였다.

"조금 골치 아픈 상대가 등장했군요. ……하지만 이 정도로 제가 포기할 거라고 생각하나요?"

쿠루미는 도발하는 듯한 미소를 지었다.

하지만 그 소녀는 그 말에 답하지 않았다. 그저 들고 있던 독특한 레이저 블레이드를 고쳐 쥐었을 뿐이었다.

"—〈아론다이트〉."

그 순간, 주위에 있던 분신들이 일제히 그 소녀에게 달려들었다.

하지만 그녀는 테리터리를 전개해 분신들의 움직임을 한 순간 둔하게 만든 후, 그 틈에 총알 같은 속도로 쿠루미에게 육박하더니, 그대로 쿠루미를 베었다.

"커—억……."

가슴에서 뿜어져 나오는 엄청난 양의 피, 그리고 구름 한

점 없는 푸른 하늘을 응시하면서, 쿠루미는 활주로에 쓰러졌다.

몇 초 후, 굉음을 내고 있는 수송기가 그녀의 시야에 들어왔다.

"어머, 어머…… 완, 전히…… 당했군, 요……."

쿠루미는 피를 토하면서도 여전히 미소를 짓고 있었다.

"하지만…… 이걸로 끝난 건…… 아니랍, 니다. 제2의 정령 씨는…… 반드시『제』가, 차지, 할…… 거예, 요……."

"……."

소녀가 〈아론다이트〉를 치켜들었다.

쿠루미의 의식은 그 순간 끊어졌다.

◇

고열 탓에 의식이 혼탁해진 가운데, 시도는 느릿느릿한 걸음걸이로 거리를 걷고 있었다.

자신의 몸이 녹아내리고 있는 듯한, 그리고 인간의 형태를 유지하고 있는지도 애매한 느낌이 들었다. 정상적인 평형 감각을 유지한 채 두 발로 걷고 있는 것 자체가 기적처럼 느껴졌다. 그런데도 아까보다 걸음이 안정된 것 같은 느낌이 들었다. 아마 남들의 눈에는 시도가 멀쩡해 보일 것이다.

"으…… 음, 나, 뭘 해야 했더라……?"

그런 생각이 든 시도는 걸음을 멈추더니 고개를 갸웃거렸다. 자신이 왜 여기에 있고, 무슨 목적으로 걷고 있는지조차 생각이 나지 않았다.

아까 정신을 차려보니, 처음 보는 방에 있었다. 그리고 환자처럼 링거와 전극이 그의 몸에 꽂혀 있었던 것이다. 그 사실을 깨달은 시도는 왠지 여기 있으면 안 된다는 생각이 들었고, 그 방에서 빠져나와 밖으로 나왔다.

그리고 한동안 돌아다니다 보니, 눈에 익은 장소에 도착했다. 넓은 도로, 그리고 그 도로 옆에 줄지어 존재하는 가게들. 시도가 자주 물건을 사러 오는 텐구 시의 번화가였다.

현재 시각은 알 수 없지만, 마을 안에서는 하교하고 있는 것으로 보이는 학생들이 간간이 보였다. 다들 따뜻해 보이는 코트를 입었으며, 새하얀 입김을 토하며 걸음을 옮기고 있었다.

"……어라?"

그리고 시도는 이상한 점을 또 하나 발견했다.

그는 고개를 숙여 자신의 옷차림을 살폈다. ―눈에도 익고, 몸에도 익은, 라이젠 고교의 교복을 입고 있었다. 침대 옆에 놓인 교복 상의를 걸치기는 했지만, 코트 같은 방한복은 걸치고 있지 않았다.

그런데도 시도는 아까부터 추위를 전혀 느끼지 않았다. 길을 가는 사람들을 보고서야 날씨가 춥다는 사실을 깨달았다.

설마 고열 때문……일 리는 없다. 마치 자신의 주위에 존재하는 눈에 보이지 않는 막이, 그의 몸 주위를 적정 온도로 유지해주고 있는 것만 같았다.

바로 그때였다.

"어라~? 이츠카 군? 오늘 조퇴하지 않았어?"

"아, 정말이네. 게다가 이렇게 추운 날씨에 코트도 걸치지 않았을 만큼 건강하잖아."

"역시 꾀병이었구나. 유죄!"

시도가 멍하니 서 있을 때, 불현듯 뒤편에서 누군가의 목소리가 들렸다.

고개를 돌려보니, 색깔만 다르고 디자인이 같은 코트를 입은 시도 반의 사이좋은 3인조, 야마부키 아이, 하자쿠라 마이, 후지바카마 미이가 눈에 들어왔다.

"그것보다 이츠카 군. 오늘 체력 측정 때는 뭘 어떻게 한 거야?"

"맞아~. 대체 어떤 트릭을 썼어? 혹시 드래프트 순위 1위야?"

"그래~ 그래~. 뭐, 이츠카 군이라면 여자애 팬티를 보고 싶은 욕구 정도는 구현화할 수 있을 것 같으니까, 재채기 타이푼은 넘어가 줄게."

세 사람은 그런 소리를 하면서 시도에게 다가왔다. 시도는 아무 말 없이 그녀들을 천천히 돌아보았다.

그리고 세 사람의 얼굴을 번갈아 바라본 시도는 열 때문에 몽롱한 머리로 생각했다.

이 소녀들은 시도에게 무슨 볼일이 있는 것일까. 이런저런 소리를 하고 있기는 하지만, 하고 싶은 말이 뭔지 알 수가 없었다. 아니, 시도는 자신이 그녀들의 말을 목소리로 인식하고 있지 않은 듯한 느낌마저 받았다.

시도는 대체 뭐라고 대답하면 좋을지, 어떤 행동을 취하면 좋을지 생각했고—.

"아아…… 그래……."

한 결론에 도달했다.

눈앞에 여자애가 있다.

그렇다면, 시도가 해야 할 일은 단 하나다.

시도는 여전히 왁자지껄 떠들어대고 있는 세 사람을 향해 차분한 목소리로 말했다.

"—야마부키, 하자쿠라, 후지바카마…… 너희들, 이렇게 귀여웠구나."

그리고 진지한 눈동자로 세 사람을 응시했다.

몇 번이나 반복해온, 세계를 구하기 위한 행위.

**여자애와 만나면, 시도는 그 여자애를 자신에게 반하게 만들어야만 한다.**

바로 그 순간, 이야기를 나누던 세 사람은 리모컨의 일시

정지 버튼을 누른 것처럼 그 자리에서 딱딱하게 굳어버렸다.

그리고 몇 초 후, 미심쩍은 표정을 지었다.

"뭐…… 뭐어?"

"느닷없이 무슨 농담을 하는 거야……?"

"더위가 아니라 추위 때문에 정신이 나가다니, 레어 케이스네……."

아이, 마이, 미이가 연달아 입을 열었다. 하지만 시도는 장난기 섞인 표정을 짓지도, 웃지도 않았다. 그는 진지하기 그지없는 표정으로 말했다.

"농담이 아냐. 너희 셋은 정말 귀여워. 왜 나는 지금까지 그걸 알아차리지 못한 걸까? ―야마부키, 아니, 아이."

"뭐?!"

시도가 아이를 이름으로 부르면서 손을 잡자, 그녀는 깜짝 놀랐는지 눈을 치켜떴다. 그리고 잠시 후, 뭔가를 눈치챈 듯한 표정을 지으면서 자유로운 손으로 자신의 입술을 가렸다.

하지만 시도는 상냥한 미소를 머금은 채 말을 이었다.

"네가 얼마나 귀여운 애인지 나는 잘 알아. 토카를 항상 신경 써줘서 고마워. 하지만 언제부터인가 알아차리고 말았어. 토카의 어깨 너머로, 아이를 항상 쳐다보고 있는 나 자신을……."

"저, 저기, 이츠카 군? 나는, 저기……."

"아이가 옆 반의 키시와다를 좋아한다는 건 알아. 사랑에 빠진 소녀가 아름답다는 말은 사실인 것 같네. —조금 샘나는걸."

"히데부!"

시도가 진지한 눈길로 바라보면서 그렇게 말하자, 기묘한 비명을 지른 아이는 얼굴을 새빨갛게 붉히면서 뒷걸음질 쳤다.

시도는 빙긋 웃으면서 이번에는 마이의 손을 잡았다.

"—마이."

"으, 응!"

방금 벌어진 일을 봤기 때문인지, 마이는 긴장으로 가득 찬 목소리로 대답했다.

"너는 자신을 항상 평범하다고 말하고 다니지만, 나는 그렇게 생각하지 않아. 무리해가면서 자신을 꾸미거나, 억지로 캐릭터성을 세우려고 할 필요 없어. 마이는 마이로서 존재해주기만 해도, 나의 특별한(스페셜) 존재이자, 유일한(온리 원) 존재야."

"아베시!"

아마 방금 그 말이 마이의 마음을 뒤흔든 것이리라. 마이는 아이와 마찬가지로 기묘한 비명을 지르면서 볼을 붉히더니 몸을 뒤로 젖혔다.

그 모습을 본 후, 시도는 미이의 손을 잡았다.

"미이."

"왜, 왜?"

미이는 시도를 경계하는 듯한, 그러면서도 뭔가를 기대하는 듯한, 그런 복잡한 표정을 지었다.

"그러고 보니 너희 셋 중에서 가장 비밀이 많은 사람이 바로 너였지. 처음에는 그저 호기심이었어. 하지만 미이와 이야기를 나누다 보니, 그 미스터리어스한 가면 너머를 들여다보고 싶어졌어. ―나에게, 전부 다 보여줬으면 해."

"타와바!"

시도가 마지막 대사를 입에 담으면서 얼굴을 내밀자, 미이의 귀에서 연기가 뿜어져 나왔다.

그 모습을 본 시도는 훗 하고 미소 짓더니, 한 걸음 물러서면서 손가락을 튕겼다.

어째서일까. 지극히 자연스럽게 『그렇게 함으로써』, 『어떤 일이 일어날지』 머릿속에 떠올랐다.

시도의 움직임에 맞춰 안 그래도 낮았던 기온이 더욱 내려가더니, 공기 중의 수분이 얼어붙으면서 시도의 주위에 반짝이는 결정을 만들어냈다.

그리고 시도가 손을 아래쪽에서 위쪽으로 움직이자, 그 궤적에 맞춰 얼음 결정이 장미꽃 모양을 이뤘다. 그것을 세 번 반복한 시도는 아이, 마이, 미이에게 투명한 꽃을 한 송이씩 건넸다.

"받아주십시오, 공주님 여러분."

"이, 이게 뭐야?!"

"우와…… 마술이야?"

"차가워! 진짜잖아?!"

아이, 마이, 미이의 표정이 경악으로 물들었다. 그 모습을 본 시도는 미소를 지으면서 말을 이었다.

"그 꽃은 바로 나야. 계절이 바뀌면— 아니, 인간의 체온에 의해서도 녹아버릴 만큼 덧없는 꽃이지. 하지만 그 모습이 한순간이나마 너희의 눈에, 마음에 남는다면 미련은 없어."

시도는 손가락 하나를 세우더니 후우 하고 숨을 불었다. 그러자 그 숨결을 타고 얼음으로 된 꽃잎이 흩날렸다.

"—너희가 나를 어떻게 생각하는지는 알아. 너희에게 내 것이 되어달라는 말은 하지 않을게. 하지만 마음속 깊은 곳에서, 아이를, 마이를, 미이를 사랑하는 것만은, 허락해주지 않겠어?"

시도가 말을 이으면서 손을 내밀자, 아이, 마이, 미이는 발그레해진 얼굴을 더욱 붉히면서 혼란스럽다는 듯이 고함을 질렀다.

"우, 우와아아아아아앙!"

"비, 빌어먹을! 두고 보라구~!"

"무슨 소리를 하는 건지는 잘 모르겠지만, 무지 느끼하네~!"

그리고 얼음으로 된 꽃을 든 채 도망치듯 뛰어갔다.

시도는 그녀들을 쫓지 않으면서 상냥한 미소를 머금었다.

"후후……. 너희의 그런 순수한 모습도 정말 귀여워."

그 직후, 시도는 어깨를 부르르 떨었다.

"—어, 나 지금 무슨 소리를 하고 있는 거야……?"

시도는 무심코 이마를 짚었다. 아이, 마이, 미이를 본 순간, 왠지 그녀들에게 구애를 해야 한다는 생각이 마음속에서 솟구쳐 오른 것이다.

게다가 현재 시도는 매우 자연스럽게 정령의 힘을 사용하고 있었다. 손가락 하나로 물과 얼음을 조종하는 힘, 그것은 바로 〈허밋〉 요시노의 영력이었다.

"뭐가 어떻게 된 거야? 나는 대체……."

시도가 표정을 일그러뜨린 순간—.

"어머, 시도 군? 이런 데서 뭐 하고 있는 건가요?"

앞쪽에서 다른 여성의 목소리가 들리자, 시도의 의식은 또 그쪽을 향했다.

고개를 돌리자, 안경을 쓴 조그마한 체구의 여성이 눈에 들어왔다. 시도의 담임인 오카미네 타마에 선생님, 통칭 타마 선생님이었다.

그녀의 모습을 본 순간, 시도는 비통한 표정을 지으면서 타마 선생님 앞에 무릎을 꿇었다.

"선생님, 저를 용서해주세요!"

"예?! 가, 갑자기 왜 그러는 거예요?"

시도가 느닷없이 그런 행동을 취하자, 타마 선생님은 깜짝 놀란 표정을 지었다. 시도는 공주님을 향해 무릎을 꿇은 기사 같은 자세를 취한 채, 고개를 들어 타마 선생님의 눈을 지그시 응시했다.

"저는…… 무서웠어요. 선생님과 결혼하고 싶다고 말해놓고, 곧 나 같은 녀석이 선생님의 버팀목이 될 수 있을 리가 없다는 생각이 들었죠."

"이, 이츠카 군……."

"하지만, 드디어 결심이 섰어요. 저는 선생님이 30대가 되기 전에 웨딩드레스를 입혀드리고 싶어요!"

"아아!"

시도가 열기를 띤 목소리로 말하자, 타마 선생님은 심장을 꿰뚫린 것처럼 가슴을 움켜쥔 채 몸을 배배 꼬았다.

"이, 이츠카 군, 정말인가요……?! 제가 30대가 되기 전이라면…… 이제 석 달밖에 남지 않았는데요?!"

"혼인 신고는 무리라도 결혼식은 할 수 있을 거예요! 서둘러 서양식으로 결혼식을 올린 후, 제가 혼인 신고를 할 수 있는 나이가 되면 그때는 전통 혼례식을 올리죠!"

"우와, 너무 멋진 생각이에요!"

타마 선생님은 볼에 손을 댄 채 새된 목소리를 냈다. 시도는 근처에 있는 화단에서 적당한 크기의 돌을 하나 줍더니,

타마 선생님에게 그것을 내밀었다.

"선생님— 아니, 타마에. 이걸 받아줘."

"예? 이걸 말인가요……? 평범한 돌이잖아요?"

타마 선생님이 미심쩍은 표정을 지으면서 시도가 내민 돌을 쳐다보았다.

그러자 시도는 씨익 웃으면서 양손으로 돌을 감싸더니, 살며시 입김을 불었다.

그리고 시도가 손을 펴자, 아까까지만 해도 돌멩이에 불과했던 그것은 아름다운 반지 케이스로 변모해 있었다.

"꺄아! 이건……."

타마 선생님은 눈을 동그랗게 떴다. 시도가 천천히 반지 케이스를 열자, 안에 들어 있던 은색 약혼반지가 모습을 드러냈다.

그와 동시에 시도는 주위에 있는 통행인들에게 들으라는 듯이 큰 목소리로 말했다.

【자, 다들 타마에를 축복해주고 있어. —여러분, 제 말 맞죠?】

""""……아!""""

그러자 방금까지 평범하게 길을 가고 있던 일면식도 없는 이들이 일제히 어깨를 부르르 떨었다. 그리고 시도와 타마 선생님을 향해 돌아서더니, 두 사람을 향해 박수를 치기 시작했다.

"축하해!"

"잘 어울려~!"

"오오~! 행복해지라고오오오!"

"어? 어?"

갑작스러운 일이 벌어지자, 타마 선생님은 당황한 표정으로 주위를 두리번거렸다.

시도는 그런 그들을 바라보면서 한 손을 높이 치켜들더니, 손가락을 튕겼다. 그러자 시도의 머리 위에 한순간 반짝이는 거울 같은 것이 출현하면서 주위를 향해 빛을 뿜었다.

다음 순간, 통행인들이 들고 있던 가방과 우산이 트럼펫이나 바이올린 같은 악기로 변모하더니— 그들은 그 악기로 멋진 연주를 시작했다.

펠릭스 멘델스존이 작곡한 『결혼 행진곡』. 누구나 한 번은 들어봤을, 그리고 여자라면 누구나 동경하는 곡이다.

처음에는 어안이 벙벙해하던 타마 선생님도 시도가 플래시몹[#2]을 고용했다고 생각한 것 같았다. 그녀는 감격에 찬 표정을 지었다.

"타마에— 나와, 결혼해주겠어?"

"……예!"

타마 선생님은 볼을 붉힌 채 고개를 끄덕이더니, 뭔가를

---

**#2 플래시몹(flash mob)** 전혀 모르는 사람들이 일정한 리더 없이 메일이나 핸드폰으로 연락을 취해 한꺼번에 모여 행사나 놀이를 하고 나서 금방 사라지는 것.

떠올린 것처럼 가방 안을 뒤지기 시작했다.

"아…… 하필 이렇게 중요한 때에 혼인 신고서를 깜빡하다니……! 자, 잠깐만 기다려주세요, 이츠카 군— 아니지! 여, 보!"

타마 선생님은 그 말을 남긴 후, 반지를 받는 것도 깜빡한 채 어딘가를 향해 뛰어갔다.

◇

"크…… 뭐가 일본의 겨울은 별거 아니라는 거죠. 충분히 춥잖아요."

DEM인더스트리 제2집행부 부장 엘렌 메이저스는 몸을 희미하게 떨면서 텐구 시 거리를 거닐었다.

플래티나 블론드 빛깔을 띤 머리카락과 색소가 옅은 피부가 인상적인 그녀는 두툼한 코트를 걸치고, 머리에는 따뜻해 보이는 러시아 털모자를 쓰고 있었다.

영국에서 지내던 시절, 부하 중 한 명이「일본의 겨울은 별거 아니에요~」라고 말했기에 방심했지만, 곰곰이 생각해 보니 그 말을 했던 부하는 알래스카 출신이었다. 그 부하에게 잘못이 있는 것은 아닐지도 모르지만, 영국으로 돌아가면 그 부하에게는 특별 훈련 코스를 짜줘야겠다고 엘렌은 결심했다.

엘렌은 자타가 공인하는 최강의 위저드다. 와이어링 슈트 없이도 현현장치(리얼라이저)를 다룰 수 있으며, 그러면 몸 주위에 테리터리가 형성되니 온도 조절 또한 간단히 할 수 있으리라.

하지만 기본적으로 임무 외적으로 리얼라이저를 사용하는 것은 칭찬받을 만한 일이 아니며, 무엇보다 추위 때문에 리얼라이저를 쓰는 것을 최강인 엘렌의 자존심이 허락하지 않았다.

그렇다. 여기가 도쿄인 게 문제다. 홋카이도 같은 윗지방이라면 그나마 납득이 되지만 여기는 간토 지방에서도 남쪽에 위치하며, 쾨펜의 기후 구분에 따르면 온난 습윤 기후로 분류되는 도시다. 그런 장소에서 최강의 위저드 엘렌 M 메이저스가 추위에 굴복할 수는 없다.

"에…… 에취!"

코가 간질간질하더니, 새된 재채기를 하고 말았다.

"으윽……."

엘렌은 입가를 손으로 가리면서 이 기묘한 생리 현상을 아무도 눈치채지 못했는지 확인하려는 것처럼 주위를 둘러보았다.

다행히도 엘렌을 쳐다보고 있었던 통행인은 없는 것 같았다. 휴우 하고 안도의 한숨을 내쉰 엘렌은 다시 걸음을 내디뎠다.

"……역시 사내 카페에나 갈 걸 그랬나요."

그리고 그녀는 작은 목소리로 혼잣말하듯 말했다.

오후 업무를 일찌감치 끝낸 엘렌은 휴식을 겸해 애프터눈 티를 즐기기 위해 시내에 있는 카페로 향하고 있었다.

사원용 카페가 싫은 것은 아니지만…… DEM의 카페에서는 엘렌이 좋아하는 딸기 쇼트케이크를 팔지 않았다.

엘렌은 고개를 들어서 하늘을 올려다보았다. 두꺼운 구름에 뒤덮인 하늘에는 마치 겹겹이 쌓인 구름이 떠 있는 것만 같았다.

"……날씨를 보아하니 이달 안에 눈이 내릴 것 같군요."

엘렌은 희미하게 미간을 찌푸리면서 생각에 잠겼다.

만약 눈이 내린다면 지사에서 카페까지의 이동이 더욱 가혹해질 것이다. 그렇게 되기 전에 사내 카페 메뉴에 딸기 쇼트케이크를 추가해달라는 요청을 해두는 편이 나을지도 모른다.

엘렌이 그런 생각을 하면서 걸음을 옮기고 있을 때, 갑자기 가벼운 충격이 그녀의 몸을 덮쳤다. 아무래도 한눈을 팔면서 걷다 앞에서 다가오던 통행인과 부딪히고 만 것 같았다.

"실례했습니다. 제 부주의—."

상대를 쳐다보면서 말을 이으려던 엘렌은 갑자기 말문이 막혔다.

이유는 단순했다. 상대가 아는 사람이었기 때문이다.

"……이, 이츠카 시도."

엘렌은 소년의 이름을 입에 담으면서 시선을 날카롭게 만들었다.

그는 바로 정령과 마찬가지로 작전 대상 중 한 명인 고등학생, 이츠카 시도였다.

이유는 모르겠지만 얼이 나간 듯한 표정을 짓고 있는 그는 이 추운 날씨에도 불구하고 코트조차 걸치지 않았다. 보고 있기만 해도 추워지는 복장이었다.

"으음…… 너는……"

시도는 엘렌의 목소리에 반응하듯 그녀를 향해 고개를 돌렸다. 그러자 그 순간, 시도의 표정에 약간의 변화가 생겼다. 눈에 빛이 맺혔다고 할까, 슬립 상태였던 기계가 액티브 상태가 되었다고나 할까, 아무튼, 아까까지만 해도 얼이 나가 있던 그는 엘렌을 지그시 바라보고 있었다.

"뭐, 뭐죠?"

엘렌은 경계심 섞인 목소리로 말하면서 한 걸음 물러섰다.

하지만 시도는 그런 엘렌을 놓치지 않겠다는 듯이 그녀의 손을 움켜잡았다.

그리고 촉촉이 젖은 눈길로 엘렌을 응시하며, 속삭이는 듯한 목소리로 말했다.

"엘렌— 정말, 만나고 싶었어."

"예……?"

엘렌은 뜻밖의 말을 듣고 얼빠진 목소리를 냈다.

"너는 DEM의 위저드. 우리와 공존할 수 없는 존재라는 건 알고 있어. 나도 몇 번이나 네 손에 죽을 뻔했지. ─하지만, 적대 관계라고 해서 서로를 이해해서는 안 된다는 법칙은 없어."

"……당신, 대체 무슨 소리를 하는 거죠?"

엘렌이 미심쩍은 눈빛으로 쳐다보는데도, 시도는 열기를 띤 목소리로 말을 이었다.

"마지막으로 너를 만난 날부터 계속 엘렌, 너라는 존재가 내 머릿속에서 사라지지 않았어. 부탁이야. 엘렌. 내가 있는 〈라타토스크〉로 와줘."

그리고 엘렌의 눈동자를 응시하면서 말했다.

상황을 이해하지 못한 탓에 잠시 얼이 나가 있던 엘렌은 곧 눈치챘다. 아마 엘렌이라는 최강의 위저드를 〈라타토스크〉로 영입하기 위해서, 되도 않는 연기를 하고 있는 것이리라.

"웃기지도 않는 농담이군요. 놔주세요."

엘렌은 차가운 목소리로 그렇게 말하면서 시도의 손을 떨쳐내려 했다.

하지만 시도는 손에 더욱 힘을 주면서 엘렌을 잡아당기더니, 다른 한 손을 그녀의 허리에 둘렀다. 통행인들이 흥미에 찬 눈길로 두 사람을 쳐다보고 있었다.

"아……."

시도가 이런 짓까지 할 거라고는 생각도 하지 못한 엘렌의 얼굴은 경악으로 물들었다.

"농담이 아냐. 나는 너를……."

"……장난치고는 좀 심하군요."

엘렌은 시도의 말을 끊더니, 가볍게 미간을 찌푸리면서 의식을 집중했다.

그러자 엘렌의 의지에 따라 그녀의 품속에 있던 리얼라이저가 발동했다. 그리고 그 리얼라이저는 엘렌을 중심으로 반경 2미터 정도 되는 조그마한 테리터리를 형성했다.

테리터리는 말 그대로 사용자의 의지에 따라 자유자재로 성질이 변환되는 공간이다. 엘렌은 가볍게 숨을 내쉰 후, 머릿속으로 시도의 몸을 짓누르는 이미지를 그렸다.

그 순간, 테리터리 안의 중력이 증가하더니, 시도의 몸이 지면을 향해 가라앉았다.

하지만—.

"아니……."

엘렌은 낭패한 것처럼 눈을 치켜떴다.

이유는 단순했다. 완전히 엘렌의 사정거리 안에 있었던 시도가 여전히 그녀를 끌어안은 채 호소하는 듯한 눈길을 보내고 있었던 것이다.

"이건, 설마……."

엘렌은 한순간 리얼라이저가 고장 났다고 생각했다. 하지만 그렇지 않았다. 테리터리가 전개되는 감촉이 느껴졌으며,

시도가 몸에 걸친 옷소매와 옷자락이 강력한 힘에 의해 아래쪽을 향해 잡아당겨지듯 흔들리고 있었다. 시도가 발을 딛고 있는 지면에서는 희미하게 금이 간 채 우직우직 하는 소리가 나고 있었다.

그렇다. 시도는 엘렌이 전개한 테리터리의 간섭을 받으면서도 표정 하나 바꾸지 않은 채 엘렌을 끌어안고 있는 것이다.

명백하게 비정상적인 사태였다.

물론 엘렌이 위력을 조절하기는 했다. 그녀가 펼치는 테리터리의 정밀도는 세계 제일이다. 그녀가 평범한 인간을 상대로 전력을 다한다면, 그 인간은 순식간에 짓뭉개져서 핏덩어리가 되고 마리라.

그렇다고 해도 현재 엘렌이 전개한 테리터리는 평범한 남자 고등학생이 그 안에서 활동할 수 있는 레벨은 아니었다. 실제로 일전에 엘렌이 이츠카 가에 침입했을 때, 비슷한 수준의 테리터리로 시도를 꼼짝도 하지 못하게 만드는 데 성공했었다.

그렇다면, 대체 어떻게 된 거지.

엘렌이 그런 생각을 하고 있을 때, 시도는 그녀의 허리를 끌어안은 채 몇 걸음 움직였다. 그리고 엘렌을 벽으로 몰아붙이더니, 그녀의 턱을 손으로 살며시 들어 올렸다.

“엘렌…… 알아줘. 나는 너를, 사랑해.”

“……큭!”

엘렌은 인상을 찡그리더니, 테리터리의 강도를 높여 신체 능력을 강화한 후, 몸을 회전시키듯 시도의 손을 떨쳐냈다.

"어이쿠."

"하앗—!"

그리고 그대로 시도의 머리를 향해 장타(掌打)를 날렸다.

테리터리로 강화한 상태에서 날린 일격이다. 피하는 것은 고사하고, 일반인의 반사 신경으로는 공격을 인식하는 것조차 어려울 것이다.

하지만 시도는 그런 일격을 간단히 피하더니, 또 엘렌의 몸을 향해 손을 뻗었다.

"얕보지 마……!"

엘렌은 시도의 손을 쳐낸 후, 그의 명치를 향해 발차기를 날렸다. 하지만 시도는 그것도 종이 한 장 차이로 피했다.

시도는 엘렌의 공격을 피하고, 막고, 흘려냈다. 그리고 엘렌은 시도의 접근을 거절했다. 몇 초 동안, 엄청난 속도의 공방전이 전개됐다. 액션 영화의 한 장면 같은 광경을 본 통행인들은 아연실색한 채 멈춰 섰다.

"큭—."

와이어링 슈트를 장착하지 않았다고 해도, 엘렌은 테리터리를 전개한 자신과 맨손으로 대등하게 싸울 수 있는 인간이 있을 거라고는 생각도 하지 못했다. 그녀는 어금니를 깨물더니, 머리에 쓰고 있던 러시아 털모자를 시도의 안면을 향해 힘차게 던졌다.

"—어이쿠."

물론 시도는 몸을 빼면서 그 털모자를 쉽게 피했다.

하지만 엘렌은 시도가 피할 걸 예상하고 있었다. 그저 한 순간이라도 시도의 시야를 차단할 수 있으면 족했던 것이다.

"핫!"

엘렌은 시도의 사각(死角)을 이용해 날카로운 돌려 차기를 날렸다.

완벽한 타이밍이었다. 다음 순간에는 시도의 고통에 찬 신음을 들을 수 있을 거라고 엘렌은 생각했다.

"어……?"

하지만 엘렌은 무심코 눈을 동그랗게 떴다. 엘렌의 발차기가 시도에게 꽂혔다고 생각한 순간, 그의 몸이 빛을 뿜으며 사라진 것이다.

그리고 다음 순간, 발차기가 빗나간 탓에 균형이 무너진 엘렌에게 육박할 수 있는 위치에 시도가 나타났다.

"앗—."

"나를 너무 곤란하게 만들지 마, 엘렌."

시도는 달콤한 목소리로 그렇게 말한 후, 어느새 손에 쥐고 있던 러시아 털모자를 엘렌에게 씌워줬다. 그리고 엘렌의 무릎 밑에 손을 넣더니, 그녀의 몸을 들어 올렸다. 공주님 안기를 하듯이 말이다.

"꺄앗?!"

갑작스러운 일이 벌어진 탓에 엘렌은 새된 비명을 질렀다. 시도는 그런 엘렌의 반응조차 사랑스럽다는 듯이 상냥한 미소를 지었다.

"뭐…… 뭐 하는 거죠?"

정신을 차린 엘렌은 시선을 날카롭게 만들더니, 테리터리를 조작해서 시도를 밀어내려 했다. 하지만 아까와 마찬가지로 교복 자락만 흔들릴 뿐, 시도의 몸은 꼼짝도 하지 않았다.

와이어링 슈트를 입었다면 지금과는 비교도 되지 않는 강도의 테리터리를 전개할 수 있을 것이다. 하지만 일반인들이 지켜보는 상황에서 긴급 장착 디바이스를 사용하는 것은 여러모로 좋지 않았다. 하지만 이 상황을 타파하기 위해서는—.

엘렌이 망설이고 있을 때, 시도가 훗 하고 웃음을 흘렸다.

"—말 안 듣는 아이는 벌을 받아야지."

그리고 그렇게 말하면서 시도는 엘렌의 입술을 향해 자신의 입술을 천천히 내밀었다.

"앗……?!"

시도의 의도를 눈치챈 엘렌이 숨을 삼켰다.

"어, 저기, 잠깐…… 이봐요?!"

당황할 대로 당황한 엘렌은 시도에게서 벗어나기 위해 손발을 버둥거렸다. 하지만 강한 힘을 발휘하고 있는 시도를 떨쳐낼 수는 없었다. 테리터리 강도를 높이려 했지만, 머릿속이 혼란스러운 탓에 집중을 할 수가 없었다.

"하, 하지 마세요. 저는—."

"—엘렌."

서로의 숨결이 느껴질 만큼 가까운 거리에서 자신의 이름이 불린 엘렌은 어깨를 부르르 떨면서 눈을 꼭 감았다.

그러자 다음 순간, 엘렌의 이마에 쪽 하는 소리와 함께 부드러운 감촉이 생겨났다.

"……어?"

엘렌이 머뭇거리면서 눈을 뜬 순간, 그녀는 천천히 지면에 내려졌다. 그리고 시도는 그녀를 향해 손을 흔들며 말했다.

"오늘은 이쯤 해둘까. 싫어하는 애한테 억지로 그런 짓을 하는 취미는 없거든. 그럼 다음에 봐. 귀여운 엘렌."

그리고 시도는 그 말을 남긴 후, 가벼운 발걸음으로 이 자리를 벗어났다.

"……."

엘렌은 잠시 동안 어안이 벙벙한 표정을 짓고 있었지만, 곧 얼굴을 새빨갛게 붉혔다.

그리고 코트 소매로 이마를 꾹꾹 눌러 닦은 후, 주먹을 말아 쥐면서 무시무시한 목소리로 말했다.

"이츠카…… 시도……. 이 굴욕…… 절대 잊지 않겠습니다……!"

엘렌은 금방이라도 울음을 터뜨릴 듯한 목소리로 그렇게 말한 후, 통행인들의 시선에서 벗어나려는 것처럼 서둘러 회사로 돌아갔다.

◇

"시도! 시도! 어디 있느냐?!"

토카는 다른 정령들과 함께 마을 안을 뛰어다니며 고함을 지르고 있었다.

길을 가던 사람들이 영문을 모르겠다는 눈빛으로 쳐다봤지만, 그들의 시선을 개의치 않으면서 하염없이 고함을 질렀다.

수색을 시작하고 이미 한 시간 가까이 경과했다. 처음에는 〈라타토스크〉의 지하 시설 안을 다 같이 뒤졌지만, 시도가 외부로 나간 흔적이 발견되자 토카 일행은 지상으로 나와 시설 주위를 수색하고 있었다.

"으음…… 시도, 너는 대체 그런 몸으로 어디에 간 것이냐……."

"혹시…… 어딘가에서 쓰러진 건 아니겠죠……?"

토카의 말을 들은 요시노는 불안함을 드러내듯 눈썹을 팔자 모양으로 만들면서 말했다. 확실히 지금의 시도의 몸 상태라면 그럴 가능성도 있었다. 토카는 걱정스러운 표정을 지으면서 코토리를 쳐다보았다.

그러자 코토리는 무슨 말을 하려는 건지 안다는 듯이 고개를 끄덕였다.

"일단 그 가능성도 고려해서 근처 병원에도 연락을 취해뒀어. 시도 같은 환자가 실려 온다면 레이네가 우리에게 연락을 해줄 거야."

코토리가 그렇게 말한 순간, 인터컴에 통신이 들어왔다.

『……다들, 내 말 들려?』

레이네의 졸린 듯한 목소리가 오른쪽 귀의 고막을 흔들었다. 다들 그녀의 말 한 마디도 놓치지 않겠다는 듯이 인터컴에 손을 댔다.

"레이네, 무슨 일이야?"

『……신을 발견했어.』

"뭐?! 정말이야?! 어디 있는데? 역시 길에서 쓰러졌다가 병원으로 옮겨진 거야……?!"

코토리가 고함을 지르자, 레이네는 낮은 신음을 흘린 후 말을 이었다.

『……쓰러지진 않은 것 같아. 오히려—.』

"……오히려?"

레이네가 말끝을 흐리자, 나츠미는 인터컴에 손을 댄 채 미심쩍은 표정을 지었다.

『……직접 보는 편이 나을 거야. 아무튼 현장으로 가봐. 3번가의 대로 쪽이야.』

레이네는 그렇게 말한 후, 통신을 끊었다. 그러자 나츠미는 불만을 표시하듯 입술을 삐죽 내밀었다.

"어, 엄청 신경 쓰이는 말투네……."

"그래도 시도가 어디 있는지는 알았지 않느냐. 빨리 가보자!"

그 말을 들은 소녀들은 고개를 끄덕였다. 토카는 지면을 박차며 내달렸다.

"자, 시도의 곁으로 가자!"

하지만 뒤쪽에서 코토리의 목소리가 들렸다.

"토카, 그 방향이 아냐! 3번가는 이쪽이라구!"

"윽! 그, 그랬느냐!"

그렇게 말한 토카는 속도를 최대한 줄이지 않으면서 스텝을 밟듯 몸을 돌리며 멋진 턴을 선보인 후, 다른 이들을 금방 따라잡았다.

쓴웃음을 지은 요시노와 한숨을 내쉬며 어깨를 으쓱하는 다른 소녀들과 함께 이동한 토카는 이윽고 목적지에 도착했다.

"3번가의 대로라면 이 부근인데……."

"달링은 대체 어디에 있죠~?"

"……아! 여, 여러분, 저쪽……!"

다들 주위를 두리번거리고 있을 때, 갑자기 요시노가 목소리를 높이면서 길 한편을 손가락으로 가리켰다.

정령들의 시선이 일제히 그쪽을 향했다. 그리고 그녀들은 일제히 숨을 삼켰다.

하지만 그러는 것도 무리는 아니었다. 그것도 그럴 것이 그 일대에서만 눈이 내리고 있었던 것이다. 그 눈은 주위를 순백색으로 물들이고 있었다.

아니, 그것만이 아니었다. 눈과 함께 반짝이는 얼음 입자가 하늘에서 내려오나 싶더니, 넓은 길의 양쪽 가장자리에 아름다운 얼음 촛대가 몇 개나 생겨났다.

그리고 그 뒤를 이어 대로 반대편에 있는 촛대부터 차례차례 규칙적으로 불꽃이 맺히기 시작하더니, 이 길을 몽환적인 느낌으로 꾸몄다.

"이, 이건……."

토카가 이 불가사의한 광경을 보면서 경악하고 있을 때, 그 길의 한가운데를 활보하듯 한 소년이 당당하게 걸어오고 있었다.

눈에 익은 라이젠 고교의 교복, 그리고 중성적인 외모.

—틀림없다. 그녀들이 애타게 찾아다닌 이츠카 시도였다. 그는 아까처럼 걸음이 불안정하지도 않았고, 안색이 나빠 보이지도 않았다.

"시, 시도……?"

토카는 당혹스러운 표정을 지으면서 미간을 찌푸렸다. 그러자 그에 맞추기라도 한 것처럼 주위에 있던 통행인들이 박수를 치며 환성을 보냈다. ―마치 시도를 맞이하듯 말이다.

"크으. 이렇게 멋지게 등장하다니, 정말 아니꼽기 그지없구나."

"지적. 카구야, 지금 문제 삼아야 하는 건 그게 아니에요."

카구야가 분하다는 듯이 어금니를 깨물자, 유즈루가 그렇게 말했다. 두 사람이 그런 어이없는 대화를 나누는 사이, 코토리는 전율한 것처럼 손을 부르르 떨고 있었다.

"이건…… 설마, 요시노의 힘과, 나의 힘. 그리고 주위 사람들을 미쿠의 힘으로 조종하고 있는 거야?"

현재 시도에게 무슨 일이 일어난 것인지는 알 수 없다. 하지만 코토리의 반응으로 볼 때, 이것이 환영할 만한 사태가 아니라는 것은 충분히 상상이 되었다. 토카는 시도를 향해 뛰어가더니 목청껏 큰 목소리로 외쳤다.

"시도!"

"―응?"

시도는 그제야 토카 일행의 존재를 눈치챈 것처럼 천천히 그녀들을 향해 고개를 돌렸다.

"아, 토카구나. 다른 애들도 왔네. 그런데 다들 왜 허둥대고 있는 거야?"

시도는 평소와 마찬가지로 상냥한 표정을 지으며 말했다.

이 소년이 오늘 낮에 몸이 좋지 않아 쓰러졌다고 말하면, 아무도 믿지 않으리라.

하지만 토카를 비롯한 소녀들은 레이네와 코토리에게서 시도가 얼마나 좋지 않은 상태인지 들었다. 게다가 시도가 지금 정상이 아니라는 사실은 현재 눈앞에서 펼쳐지고 있는 비정상적인 광경이 뒷받침해주고 있었다.

토카의 뒤를 쫓듯 뛰어온 코토리는 초조함으로 가득 찬 목소리로 말했다.

"그걸 몰라서 묻는 거야?! 대체 왜 병실에서 빠져나간 거야?! 대체 무슨 생각이냐구!"

"아…… 미안해. 걱정을 끼쳤구나. 하지만 이제 괜찮아. 몸에는 아무런 문제도 없어. 그뿐만 아니라 예전보다 힘이 샘솟고 있다고."

시도는 그렇게 말하면서 손가락 하나를 세우고 손가락 끝을 향해 입김을 불었다. 그러자 손가락 끝에 불꽃이 맺히더니, 소용돌이를 치면서 사라졌다.

"시도, 너……."

"하하, 대단하지? 이런 것도 할 수 있게 됐어. 이제 나도 너희와 함께 싸울 수 있어. 너희만 위험에 처하게—."

"시도!"

코토리가 비명에 가까운 목소리로 시도의 이름을 외치자, 그는 입을 다물었다.

"부탁이야. 진정하고 내 말 좀 들어. ―지금 너와 우리 사이의 파이프가 좁아져서 매우 위험한 상태야. 한시라도 빨리 처치를 하지 않으면 돌이킬 수 없는 사태가 벌어질지도 모른다구. 그러니까 부탁이야. 내 말에 따라줘."

"위험한 상태? 그 처치가 대체 뭐야?"

"그건……."

"저희 전원과 정열적인 뽀뽀를 하는 거예요~."

코토리의 말을 막듯, 미쿠가 몸을 배배 꼬면서 말했다. 그러자 시도는 눈을 동그랗게 뜬 후, 후훗 하고 자신만만한 미소를 지었다.

"정말이야? 혹시 코토리가 나와 키스하고 싶어서 거짓말하는 거 아냐?"

시도는 그렇게 말하면서 요염한 손길로 코토리의 턱을 들어 올렸다. 그러자 코토리의 얼굴이 새빨갛게 달아올랐다.

"뭐……?! 노, 농담하지 마. 지금은 그럴 때가―."

""""아~.""""

바로 그때, 카구야, 유즈루, 미쿠, 나츠미, 오리가미, 다섯 명이 납득한 것처럼 고개를 끄덕였다.

"잠깐, 방금 그 『아~』는 뭐야?!"

코토리가 고함을 지르자, 시도는 유쾌한 웃음을 흘리면서 돌아섰다.

"농담한 거야. 내 귀여운 여동생이 사리사욕 때문에 그런 거짓말을 할 리가 없지."

"……윽, 시도, 너……!"

코토리가 얼굴을 새빨갛게 붉히면서 미간을 찌푸렸다. 그러자 시도는 자신의 턱에 손을 대면서 흠 하고 낮은 신음을 흘렸다.

"하지만 모처럼 손에 넣은 힘을 잃는다니 아쉽네. 게다가 너희와의 키스를 그냥 기계적으로 하는 것도 아까워. 모처럼의 기회니까 멋진 추억으로 만들고 싶은걸."

그렇게 말한 시도는 윙크를 했다. 평소와 다른 시도를 본 토카의 볼을 타고 식은땀이 흘렀다.

"……시도, 역시 몸 상태가 좋지 않은 것 아니냐?"

"아니, 날아갈 것 같은 기분이야. 사랑스러운 토카."

"으, 으음……."

역시 좀 이상한 것 같은 느낌이 든 토카는 당혹스럽다는 듯이 인상을 찡그렸다.

하지만 시도는 개의치 않으면서 말을 이었다.

"그래. 이러는 건 어떨까? 오늘 밤 열두 시에 내가 너희 모두와 키스를 하는 거야."

"열두 시……?"

"—마법이 열두 시에 풀리는 건 상식 중의 상식이잖아?"

"……."

시도가 부끄러운 대사를 주저 없이 입에 담자, 코토리는 식은땀을 흘렸다. 하지만 시도는 개의치 않으면서 말을 이었다.

"단, 조건이 하나 있어."

시도는 검지를 꼿꼿이 세웠다.

그리고 그 제안을 입에 담았다.

"나는 지금까지 영력을 봉인하기 위해, 너희를 나에게 반하게 만들었어.

—그러니까 너희도, 나를 반하게 만들어봐."

시도의 말을 들은 정령들은 눈을 동그랗게 떴다.

"뭐……."

"음……?"

"반하게…… 만들라고요?"

그녀들의 반응을 본 시도는 "그래." 라고 말하며 고개를 끄덕였다.

"뭐, 정확하게 말하자면 나는 이미 너희를 좋아하니까 『반하게 만들라』는 표현은 적당하지 않을지도 모르지만—."

시도는 어깨를 으쓱하면서 쓴웃음을 지은 후 말을 이었다.

"어떤 방법을 쓰든 상관없으니까, 나를 두근거리게 만들어줘. 내가 너희에게 키스를 하고 싶어서 견딜 수 없도록 말이야."

그렇게 말한 시도는 오른손 검지와 엄지를 펼치더니 「BANG!」 하고 말하면서 토카 일행의 하트를 향해 총을 쏘는 시늉을 했다.

정령들은 시도의 제안을 듣고 잠시 동안 어안이 벙벙해 했지만 코토리는 곧 분노가 서린 목소리를 냈다.

"내 말을 못 알아들은 거야?! 1분 1초를 다투는 사태라구! 그딴 짓 할 시간은 없어!"

"하하, 이 정도는 괜찮잖아. 어차피 인생은 짧은 거니까 즐기자고."

"허…… 헛소리, 하지 마!"

코토리는 고함을 지르면서 양손을 펼쳤다.

"카구야! 유즈루! 시도를 잡아! 이렇게 되면 강행 수단으로 가자!"

"크큭, 코토리여. 우리를 부리려고 하다니 배짱 한번 좋구나. 하지만 이 국면에서 야마이를 선택한 혜안만은 칭찬해 주겠노라!"

"구속. 시도, 각오하세요."

코토리가 지시를 한 순간, 카구야와 유즈루는 지면을 박차더니, 양쪽에서 시도의 양손을 잡았다. 꼼짝도 못 하게 된 시도는 깜짝 놀랐는지 눈을 치켜떴다.

"어이 어이, 이건 〈라타토스크〉의 방식이 아닌 것 같은데?"

"시끄러워! 네가 내 말을 안 들으니까 이러는 거잖아! 게다가—."

코토리는 시도를 향해 다가가더니, 될 대로 되라는 투로 말했다.

"시도는 나를 좋아하잖아?! 그러니 문제 될 건 없어!"

코토리의 말을 들은 시도는 잠시 동안 어안이 벙벙한 표정을 지은 후, 미소를 지었다.

"하하하…… 그건 그래. 사랑해, 코토리."

"……윽."

코토리의 얼굴이 새빨개졌다. 그 모습을 본 카구야와 유즈루는 쓴웃음을 지었다.

"자기 입으로 말해놓고 부끄러워하면 어쩌자는 거냐구……."

"화끈. 왠지 보고 있는 유즈루도 얼굴이 달아올랐어요."

"시, 시끄러워! 아무튼 후딱 끝내버리겠어!"

코토리는 그렇게 말하면서 걸음을 멈추더니, 시도의 볼에 양손을 댔다. 그리고 긴장한 표정으로 천천히 입술을 내밀었다.

"흐음……."

바로 그때였다. 시도가 장난기 섞인 미소를 지은 순간, 그의 몸이 옅은 빛을 뿜기 시작했다.

"앗—."

"—이래도 계속할 거야?"

그리고 빛이 사라진 후, 시도는 아까와 다른 목소리로 말했다.

아니, 정확하게 말하자면 그것 또한 시도의 목소리가 맞았다. 그리고 토카 일행은 이 목소리가 귀에 익었다.

"너, 너는……."

"—시오리."

오리가미는 차분한 목소리로 눈앞에 나타난 **소녀**의 이름을 불렀다.

그렇다. 방금까지 시도가 있던 장소에는 한 소녀가 존재하고 있었다. 얼굴 자체는 시도와 같지만, 머리카락이 길고, 여학생용 교복을 입고 있었다.

그 소녀의 이름은 이츠카 시오리. 과거에 시도가 여장을 했을 때의 모습이었다.

아니— 그 말 또한 정확하지 않았다. 토카의 눈에는 눈앞에 있는 시오리와 전에 본 시오리가 동일 인물로 보이지 않았다.

뭐랄까, 전에 본 시오리와는 분위기가 달랐다. 몸매가 더 여성스럽다고나 할까, 치맛자락 밑으로 보이는 허벅지가 묘하게 부드러워 보인다고나 할까—.

토카가 그런 생각을 하고 있을 때, 코토리의 얼굴이 전율로 물들었다.

"순식간에 여장을…… 아냐. 이건 나츠미의 변신 능력……?!"

"딩동댕~. 하지만 그것만으로는 50점이야."

"……윽! 서, 설마—."

코토리는 어깨를 부르르 떨면서 오른손으로 시오리의 가슴을 움켜쥐었다.

"꺄아~."

"히익……!"

시오리가 묘하게 색기 섞인 목소리를 내자, 코토리는 경악을 금치 못하면서 한 걸음 물러섰다.

"이, 이 감촉은……."

"응. 진짜야."

"꺄아~?!"

코토리는 온몸을 부르르 떨면서 절규를 토했다. 그러자 시오리는 웃겨서 죽겠다는 듯이 박장대소를 터뜨렸다.

"후후. 코토리가 억지로 키스를 하려고 하니까 이런 거잖아. 자업자득이라구."

"아, 아무리 그래도 그렇지……!"

"자아, 어떻게 할래? 이 상태의 나와 키스를 해도 파이프를 넓힐 수는 있을걸?"

시오리는 그렇게 말하면서 자신만만한 미소를 지었다. 코토리는 한순간 「윽……」 하고 신음을 흘리면서 망설였지만, 곧 주먹을 말아 쥐면서 고개를 들었다.

"나, 나를 얕보지—."

"꺄아~!"

하지만, 코토리의 말을 막듯, 그녀의 등 뒤에서 새된 교성이 들렸다. 그 목소리의 주인은 바로 미쿠였다.

"호, 호, 혹시 진짜 여자애 모드인가요?! 이런 일이 벌어져도 괜찮은 걸까요~?! 하겠어요! 저는 시오리 양과 하겠어요! 지금 바로 키스하겠다고요!"

"아하하……. 그러고 보니 미쿠가 있었지. 이거 판단을 잘못했는걸."

시오리는 쓴웃음을 지으면서 머리를 긁적였다. 미쿠는 고개를 마구 저었다.

"아뇨~! 오히려 나이스예요! 자, 잘 먹겠습니다아아앗!"

미쿠는 고함을 지르면서 풀장에 뛰어들 듯 시오리를 향해 몸을 날렸다.

하지만 시오리는 훗 하고 웃으면서 입술을 일그러뜨리더니, 손가락을 소리 나게 튕겼다.

바로 그 순간, 시오리의 손에 찬란히 빛나는 거울 같은 것이 생겨나더니, 주위를 향해 눈부신 빛을 뿜었다.

"어?!"

"큭……!"

느닷없이 섬광이 뿜어져 나오자, 토카는 무심코 눈을 가렸다.

"뭐, 뭐냐? 뭐가 어떻게 된 것이지……?"

몇 초 후, 토카는 눈을 껌뻑이면서 주위를 둘러보았다.

그리고 주위에 펼쳐진 기묘한 광경을 보고 눈을 치켜떴다.

"앗?!"

하지만 토카가 그러는 것도 무리는 아니었다. 왜냐하면 이곳에 모여 있던 정령들이 전부 시오리로 변하고 만 것이다.

"시, 시오리가 잔뜩?!"

"경악. 이게 대체 어떻게 된 거죠?"

"어, 나, 나도……?!"

다른 이들도 이 기묘한 사태를 눈치챘는지 당황하고 있었다. 뭐, 그중에는 「꺄아아아아앗! 파아아라다이이이이스!」 하고 기운 넘치는 목소리로 외치는 이가 한 명 정도 있지만 말이다.

토카도 자신의 몸을 쳐다보면서 숨을 삼켰다. 얼굴은 확인할 수 없지만, 옷과 머리카락이 시오리와 똑같아진 것이다.

게다가 그것만이 아니었다. 주위에서 두두두두…… 하고 땅울림 같은 소리가 들리나 싶더니, 토카 일행을 향해 시오리의 모습을 한 수많은 사람들이 몰려왔다.

"어이~!"

"다들~!"

"우리도 끼워줘~!"

"앗……?!"

뜻밖의 광경을 목격한 토카는 온몸을 부르르 떨었다. 아무래도 주위에 있는 통행인들도 시오리와 같은 모습으로 바뀌어 버린 것 같았다. 게다가 시오리의 『목소리』에 조종당하고 있는지, 진짜 시오리를 감싸듯 한곳으로 몰려들었다.

"크……윽, 비켜라!"

토카는 아무리 나츠미의 힘을 썼더라도, 유심히 살펴본다면 진짜와 가짜를 판별할 자신이 있었다. 하지만 숫자가 너무 많은 데다, 이렇게 뒤죽박죽으로 뒤엉킨 상태에서는 그것도 무리였다. 누가 누구인지 알 수 없는 상태에서 진짜 시오리를 놓치고 말 것이다.

"다, 다들, 괜찮아?!"

"아, 예…… 어찌어찌……."

"응답. 하지만, 진짜는 대체—."

유즈루(로 추정되는 시오리)가 말한 순간이었다.

바람이 주위에 휘몰아치더니, 수많은 시오리들 사이에서 누군가가 하늘로 날아올랐다.

"저건……!"

"시도!"

그 모습을 본 토카가 고함을 질렀다.

그렇다. 『바람』을 탄 것처럼 하늘로 날아오른 이는 남자 모습으로 돌아온 시도였다.

"하하. 다들, 미안해. 하지만 나를 두근거리게 만들면 키스하겠다는 말은 거짓말이 아냐."

시도는 씨익 웃었다.

"—자아. 나를 반하게 만들어봐."

그 말만을 남긴 후— 시도는 하늘 저편으로 사라졌다.

# 제3장 바캉스 타임

"……."

엘렌은 분노에 떨면서 DEM인더스트리 임시 사옥의 복도를 걷고 있었다.

입을 꾹 다문 그녀의 미간에는 주름이 잡혀 있으며, 왠지 발소리도 거친 것 같았다. 최강이라 불리는 자로서 언제 어느 때나 우아함을 유지하려 하는 엘렌답지 않은 행동이였다.

하지만 그녀가 그러는 것도 무리는 아니었다. 아무리 와이어링 슈트를 걸치지 않았다고 해도 평범한 인간인 이츠카 시도에게 완전히 농락당하고 만 것이다. 긍지 높은 엘렌에게 있어 이것보다 큰 굴욕은 존재하지 않았다.

"……큭."

생각하지 않으려고 하면 할수록, 그 소년의 밉살스러운 얼굴이 머릿속에 떠올랐다. 엘렌은 어금니를 깨문 후, 말아 쥔 주먹으로 쿵! 소리가 나게 복도의 벽을 때렸다.

"아야야……."

생각했던 것보다 아팠다. 엘렌은 울상을 지으면서 그 자리에 주저앉더니, 손을 매만졌다.

하지만 지금은 이러고 있을 때가 아니었다. 회사에 돌아오자마자 웨스트코트가 엘렌을 찾고 있다는 연락을 받은 것이다. 거기까지 생각이 미친 엘렌은 엘리베이터를 타고 어느 방으로 이동하더니, 문에 노크를 했다.

"아이크. 접니다."

『아, 들어와.』

"실례하겠습니다."

엘렌은 짧게 대답한 후, 문을 열었다. 웨스트코트는 평소와 마찬가지로 엘렌을 기다리고 있었다는 듯이 느긋하게 의자에 앉아 있었다.

"갑자기 불러서 미안해."

"아뇨. 『자재A』에게 무슨 문제라도 생긴 건가요?"

이 타이밍에 엘렌을 부를 이유라면 그것밖에 없었다. 엘렌은 자세를 흐트러뜨리지 않은 채 물었다. 그러자 웨스트코트는 어깨를 으쓱했다.

"아, 그것도 자네를 부른 이유 중 하나지. 아무래도 수송대가 발진 직전에 〈나이트메어〉에게 공격을 받은 것 같아."

"〈나이트메어〉에게요……?"

그 이름을 들은 엘렌은 미간을 찌푸렸다. 〈나이트메어〉 토키사키 쿠루미. 다른 정령들과 달리 〈라타토스크〉 측의 보호를 받지 않으면서 암약하고 있는 수수께끼의 정령이다. DEM사와 악연으로 얽혀 있는 상대이며, 일전의 DEM 일본 지사에서의 전투 때는 이 정령에게 심각한 피해를 입었다.

"대체 어떻게…… 〈나이트메어〉는 『자재A』의 정체를 알고 있는 걸까요?"

"글쎄. 하지만 만약 그렇다면— 뭔가 **알고 싶은** 게 있는 걸지도 모르겠는걸."

웨스트코트는 재미있다는 듯이 웃음을 흘렸다.

만약 『자재A』에게 무슨 일이 생겼다면 웃어넘길 수 없겠지만, 웨스트코트의 표정에서는 긴장이나 허세 같은 것은 찾아볼 수가 없었다.

"그럼 그 수송기는……."

"호위를 담당한 위저드 덕분에 무사한 것 같아."

그 말을 들은 엘렌은 눈을 가늘게 떴다.

"**아뎁투스2**, 말이군요."

"그래. 부임하자마자 멋진 활약을 해줬어. 『자재A』는 오늘 밤에라도 이곳에 도착할 거야."

"그런가요. 다행입니다."

그렇게 대답한 엘렌의 머릿속에는 의문부호가 떠올라 있었다. 『자재A』를 〈나이트메어〉에게 빼앗겼으니 탈환하라—

라는 이야기라면 납득이 된다. 하지만 무사히 이곳을 향해 오고 있다면 엘렌이 나설 일은 없을 것이다.

바로 그때, 엘렌은 웨스트코트가 아까 한 말을 떠올렸다.

"—**이것도 저를 부른 이유 중 하나**라고 방금 말씀하셨죠?"

"그래. 자네를 부른 건 다른 안건 때문이야."

웨스트코트는 고개를 끄덕인 후, 말을 이었다.

"아까 자네가 외출한 사이에 시내에서 기묘한 영파 반응이 관측됐어. 새로운 정령이 나타났나 했지만, 아무래도 그렇지 않은 것 같아. 마치 여러 개의 영파를 무리하게 하나로 응축시킨 듯한 반응이라더군."

"제가 외출한 사이에— 아."

그 말을 듣고 어떤 일에 생각이 미친 엘렌은 눈을 치켜떴다.

그렇다. 엘렌은 만났던 것이다. 영력을 연상케 하는 기묘한 힘을 사용하는 소년과 말이다……!

"그래서 자네에게—."

"맡겨주십시오."

엘렌은 웨스트코트가 말을 마치기 전에 집무 책상을 물어뜯기라도 할 것 같은 표정을 지으며 말했다.

"꽤 의욕이 넘치는 것 같군. 무슨 일 있었나?"

"그렇지 않습니다. 평소와 다름없습니다. 반드시 타깃의 머리를 가지고 오겠습니다."

"아, 샘플로 쓰고 싶으니 가능하면 생포해줬으면 좋겠군."

웨스트코트는 약간 놀란 것처럼 눈을 동그랗게 뜨면서 말했다.

◇

시도를 놓친 후, 토카 일행은 〈라타토스크〉의 지하 시설 안에 있는 브리핑 룸에 모였다. 타원형 테이블에 둘러앉은 그녀들은 난처한 표정을 짓고 있었다.

"으음…… 어쩌면 좋단 말이냐."

토카가 테이블에 팔꿈치를 얹으면서 말하자, 동의를 표시하듯 야마이 자매가 고개를 끄덕였다.

"그 이전에 그 녀석은 진짜로 시도가 맞는 것이냐? 언동이 조금 이상한 것 같았다만……."

"동의. 마치 바람둥이 같았어요."

확실히 아까 전의 시도는 평소와 좀 달랐다. 묘하게 자신감이 넘쳤던 것이다. 평소의 시도라면 기묘한 조건 같은 건 걸지 않고 정령들의 요청을 받아줬으리라. 그리고 무엇보다, 평소의 그라면 아무리 나츠미의 능력을 쓸 수 있다고 해도 진짜 여자애로 변신할 생각은 하지 않았을 것이다.

그런 의문에 답하듯, 의자에 앉아 있던 레이네가 입을 열었다.

"……물론 신이 분명해. 하지만 고열과 영력의 영향으로 자제심이 약해져서 텐션이 올라간 상태가 된 것 같아."

"어, 혹시 달링은 여자애가 되고 싶다는 소망을 가지고 있었던 건가요~?"

미쿠가 눈을 반짝이면서 몸을 배배 꼬았다. 그런 미쿠를 본 레이네는 볼을 긁적거렸다.

"……글쎄. 너희에게서 도망치기 위한 수단으로서 여자로 변신했던 것 같은데 말이야."

"아무튼 골치 아픈 상황이라는 것에는 변함이 없어. 크…… 이 바보 오빠, 우쭐해져 가지고……. 자신이 얼마나 위험한 상태인지 알긴 하는 거야……?!"

코토리는 짜증을 내듯 막대 사탕을 씹어 먹더니, 허리춤에 있는 캔디 홀더에서 사탕을 하나 더 꺼내 입에 넣었다.

"우는소리를 할 때가 아냐."

오리가미가 조용한 목소리로 입을 열었다. 그녀는 차분한 분위기를 띤 채 말을 이었다.

"시도는 자신을 두근거리게만 만들면 오늘 밤 열두 시에 키스를 받아주겠다고 말했어. 그렇다면 시도를 두근거리게 만들 수밖에 없어. —시간적 유예는 어떻게 돼?"

"……수치를 볼 때, 오늘 밤 열두 시에 키스를 할 수 있다면 시간적으로는 충분할 거야. 하지만 문제는 그때까지 전원이 시도를 자신에게 반하게 할 수 있는가, 겠지."

레이네의 말을 들은 정령들은 벽에 걸린 시계를 쳐다보았다. 현재 시각은 오후 여섯 시. 즉, 그들에게 주어진 시간은 여섯 시간밖에 되지 않았다.

정령들은 총 여덟 명이다. 단순 계산으로는 1인당 45분이 주어지는 것이다. 게다가 그 안에는 준비 및 시도와 접촉하기 위한 시간도 포함되어 있다. 그러니 1인당 주어지는 시간은 더욱 짧을 것이다.

"……윽."

토카는 마른침을 삼켰다. 사태를 가벼이 여기고 있었던 것은 아니지만, 이렇게 남은 시간을 들으니 그녀의 의지와는 상관없이 심박수가 올라가는 게 느껴졌다.

"아무튼, 시도 씨를 두근거리게 만들 수밖에…… 없는 거네요."

토카의 옆에 앉아 있던 요시노가 약간 긴장한 표정을 지으며 고개를 끄덕였다. 그 뒤를 이어 나츠미가 으음 하고 낮은 신음을 흘리며 팔짱을 꼈다.

"……하지만, 대체 어떻게 할 거야?"

"그건……."

『꺄아, 요시노한테 무슨 소리를 하게 하려는 거야~? 나츠미, 엉큼해~.』

"뭐, 나, 나는, 그런 뜻으로 한 말이……."

『요시농』이 양손으로 얼굴을 가리면서 그렇게 말하자, 나츠미는 허둥지둥 부정했다. 요시노는 그런 둘을 보면서 쓴 웃음을 지었다.

"……그것에 관해 너희에게 하고 싶은 제안이 있어."

레이네는 그렇게 말하면서 검지로 자신의 오른쪽 귀를 톡 톡 두드렸다. 자리에 있는 모든 이들이 착용하고 있는 인터컴을 가리키듯 말이다.

그 동작을 보고 레이네의 의도를 눈치챈 카구야와 유즈루가 동시에 손뼉을 쳤다.

"오호라! 아루비 섬에서 우리가 썼던 수법을 쓰려는 것인 게구나!"

"납득. 최적의 방법이에요."

"음? 그게 무슨 소리지?"

토카가 고개를 갸웃거리면서 묻자, 레이네가 보충 설명을 하듯 말했다.

"……간단하게 말해, 인터컴을 통해 서포트를 하겠다는 거야. 〈프락시너스〉는 개조 및 수리 중이지만 AI는 무사하니 지시를 내리는 것 정도는 가능하겠지. 반하게 만든다고 해도, 너희에 대한 신의 호감도는 이미 매우 높아. 즉, 제한 시간 안에 신의 가슴을 한 번씩 두근거리게 하면 키스를 할 자격을 손에 넣을 수 있을 거야."

"흠……. 레이네가 도와주겠다는 것이구나."

"……그래. 그리고 신의 심박수와 정신 상태를 모니터링하겠어. 그의 흥분 수치가 90을 넘었을 경우를 『두근』거린 상태로 정의할게. 이 경우, 인터컴을 통해 클리어 사실을 알리는 소리를 들려줄게.”

“와아~, 그런 것도 가능해요? 엄청 믿음직하네요~.”

미쿠가 환한 목소리로 그렇게 말하자, 레이네는 고개를 끄덕이면서 “그리고.” 하고 말을 이었다.

“……너희가 주의해줬으면 하는 게 있어. 영력의 한정 해제에 관한 거야.”

나츠미가 레이네의 말을 듣고 고개를 갸웃거렸다.

“……응? 파이프가 좁아졌다면 시도한테서 우리에게 영력이 역류하지 않는 거 아냐?”

“……기본적으로는 그래. 하지만 너희의 몸에는 극히 적은 양이기는 하지만 영력이 남아 있어. 아마 너희가 마음만 먹으면 아주 짧은 시간 동안이기는 해도 한정 해제를 할 수 있을 거야.”

“예? 그럼—.”

미쿠가 말을 끝까지 잇기 전에, 레이네가 고개를 저었다.

“……하지만 가능한 한 영력을 사용하지는 말아줬으면 해. 영력이 공급되지 않는 상태에서 무리하게 힘을 쓰는 게 너희의 몸에 어떤 영향을 줄지 알 수 없어.”

““““윽!””””

정령들의 얼굴이 긴장으로 가득 찼다. 하지만 토카는 고개를 내저으며 말했다.

"하, 하지만 그렇게 해서라도 시도를 구할 수만 있다면……."

"……네가 쓰러져버리면 신을 구하는 것도 불가능해질 거야."

"으, 으음……."

토카는 그 말을 듣고 입을 다물었다. 확실히 그렇게 된다면 주객전도였다.

"알았다. 가능한 한 영력을 사용하지 않겠다."

"맞아요~. 뭐, 여러분의 매력이라면 영력을 사용하지 않더라도 달링 정도는 얼마든지 매혹시킬 수 있을 거예요~."

미쿠는 느긋하게 웃음을 터뜨렸다. 낙관적인 것 같기는 하지만…… 뭐, 지나치게 긴장하는 것도 좋지 않을 것이다.

"……남은 문제는 시간이야. 가능하면 한 장소에서 공략에 임했으면 좋겠는데 말이야."

레이네의 말을 들은 오리가미는 턱에 손을 댄 채 잠시 동안 생각에 잠기더니— 몇 초 후, 고개를 들었다.

"나한테, 생각이 있어."

"……말해봐."

레이네는 낮은 목소리로 말했다.

◇

"……응?"

시도가 길을 걷고 있을 때, 갑자기 윗옷 호주머니에 넣어 둔 핸드폰이 진동했다. 검사 때 정밀 기기를 전부 가져간 줄 알았는데, 아무래도 윗옷에 옮겨둔 것 같았다.

진동 리듬과 착신음으로 볼 때, 전화가 온 것은 아니었다. 메일이다. 핸드폰 화면을 보니, 코토리의 핸드폰에서 온 메일이었다.

"흐음……?"

메일을 본 시도는 재미있다는 듯이 미소를 머금었다.

그 메일에는 어떤 장소의 지도가 첨부되어 있었다. 그리고 본문에는 그 장소의 주소만이 적혀 있었다.

간결한 메일이지만, 이 메일에 담긴 의도는 충분히 알 수 있었다.

즉, 시도의 리퀘스트에 응할 준비가 되었다는 것이리라.

"자, 어떤 작전을 준비해뒀으려나……."

시도는 중얼거리면서 핸드폰을 호주머니에 넣은 후, 지면을 가볍게 박찼다.

그러자, 시도의 몸은 중력의 족쇄에서 풀려난 것처럼 허공으로 떠올랐다. 주위를 걷고 있는 사람들이 그런 시도를 보고 경악한 나머지 눈을 치켜떴다.

정령의 힘을 일반 시민들 앞에서 드러내는 것은 바람직한 행동이 아니지만, 지금의 시도에게 있어서는 아무래도 상관없는 일이었다. 힘을 자유롭게 사용할수록 뜨거운 머릿속이 고양감으로 가득 찼다. 시도는 문뜩, 마약을 하면 이런 느낌일지도 모른다고 생각했다.

"자— 그럼 유인 작전에 걸려들어 볼까요."

고개를 든 시도는 아까 본 지도를 머릿속에 떠올렸다. 이곳에서 멀지 않은 곳이었다. 지금의 시도라면 금방 도착할 수 있으리라.

시도는 가벼운 발걸음으로 허공을 박찼다. 그와 동시에 주위에서 바람이 소용돌이치는가 싶더니, 그의 몸은 초고속으로 허공을 갈랐다.

마치 자기 자신이 총알이라도 된 것 같은 느낌이 들었다. 시야에 들어오는 경치가 엄청난 속도로 흘러가고 있었으며 강렬한 바람이 피부를 두드리고 있었다. 평소의 시도였다면 공중을 나는 도중에 의식을 잃고 지면에 머리부터 내동댕이쳐졌을 것이다.

하지만 지금의 시도는 그런 한심한 짓은 하지 않았다. 몇 분 동안의 비행 후, 몸을 빙글 돌린 시도는 화려하게 착지했다.

그리고 엄청난 풍압 탓에 흐트러진 옷과 머리카락을 가볍게 정돈한 후, 주위를 둘러보았다.

"여기구나……."

시도는 그렇게 말하면서 고개를 들었다. 마을 외곽에 있는 쓸쓸한 느낌의 숲 안에 커다란 건물이 있었다. 건물의 높이는 그렇게 높지 않지만, 넓이는 상당했다. 돔 구장을 네모난 상자로 덮은 듯한 형태였다.

건물을 둘러봤지만, 이곳이 어떤 시설인지 알려줄 간판 같은 것은 눈에 들어오지 않았다. 마치 위험한 약을 생산하는 비밀 공장 같은, 수상하기 그지없는 분위기를 지니고 있었다.

하지만 지금의 시도에게는 그런 것을 두려워할 이유가 존재하지 않았다. 그는 기대와 가벼운 고양감을 느끼면서 건물을 향해 걸어가서— 문을 열었다.

바로 그 순간이었다.

"시도!"

"시도…… 씨!"

"달링~!"

"……아!"

시도는 무심코 눈을 동그랗게 떴다.

눈부신 빛이 시야를 가득 채우는가 싶더니, 마치 열대 지방의 해변 같은 광경이 눈앞에 펼쳐졌다. 그리고 각양각색의 수영복을 입은 정령들이 시도를 맞이했다.

같은 시각. 텐구 시의 지하에 위치한 〈라타토스크〉의 시설. 그곳에 있는 한 방에, 공중함 〈프락시너스〉의 승무원들이 모여 있었다.

"—목표, 돔 안으로 들어갔습니다!"

〈보호 관찰 처분(딥 러브)〉 미노와가 눈앞에 있는 콘솔을 조작했다. 그러자 벽면에 설치된 거대한 모니터에 시도의 모습이 표시되었다. 그리고 양 사이드에는 정신 상태와 호감도 등을 나타내는 수치가 표시되었다.

그렇다. 이곳은 지하 시설에 만들어진 임시 사령실이었다. 〈프락시너스〉와 완전히 같은 수준의 설비는 아니지만, 이 설비라면 정령들을 충분히 지원할 수 있을 것이다.

사령관석 옆에 서 있는 장신의 남성— 〈프락시너스〉 부함장, 칸나즈키 쿄헤이는 모니터 영상을 쳐다보면서 힘찬 목소리로 말했다.

"좋습니다. 그럼 공략을 시작하겠습니다. 이례적이기는 하지만, 이것은 중요도가 매우 높은 미션입니다. 전원, 진지하게 임해주십시오."

""""예!""""

바로 그때, 칸나즈키의 말에 답하듯 스피커에서 의도적으로 톤을 낮춘 목소리가 흘러나왔다.

『……칸나즈키. 알고 있겠지만, 말도 안 되는 선택지를 고르지 마. 전에 내가 자리를 비웠을 때 네가 얼마나 난리를 쳤는지 다 들었다구.』

모니터 구석에 흰색의 분리형 수영복을 입은 사령관, 이츠카 코토리의 모습이 표시되었다. 그녀는 날카로운 눈길로 자율형 카메라를 노려보고 있었다. 하지만 칸나즈키는 그 가시 돋친 분위기를 눈치채지 못했는지, 주인을 본 개처럼 발랄하게 경례를 했다.

"물론이죠! 맡겨만 주세요! 불초 칸나즈키 쿄헤이, 반드시 시도 군을 함락시키겠습니다!"

『그 말도 여러모로 걸리지만…… 뭐, 좋아. 아무튼 시도는 여기서 공략해버리는 거야.』

코토리의 말을 들은 승무원들은 또 일제히 「예!」 하고 대답했다.

바로 그때, 〈차원을 넘나드는 자(디멘션 브레이커)〉 나카츠가와가 신음에 가까운 목소리로 말했다.

"하지만 역시 사령관님은 대단하십니다. 이 『두근! 정령들의 수영 대회』 작전이라면 시도 군에게 연달아 어프로치를 할 수 있을 뿐만 아니라, 수영복 차림도 보여줄 수 있으니 두근두근 포인트 면에서도 빈틈이 없어요."

나카츠가와의 말대로, 실내 풀 안에 있는 정령들은 다들 귀여운, 혹은 섹시한 수영복을 입고 있었다. 사춘기 소년이 본다면 그대로 승천해버릴지도 모를 정도로 꿈만 같은 광경이었다.

"그래요. 겨울에 수영복이라는 미스매치도 더해져 임팩트는 충분할 거예요. 이 정도면 시도 군도 단숨에 함락되겠죠."

그 말에 동의한다는 듯이 〈빨리도 찾아온 권태기(배드 매리지)〉 카와고에가 고개를 끄덕였다. 하지만 볼을 타고 식은땀이 흐르고 있는 코토리는 어깨를 으쓱했다.

『아, 이 작전을 제안한 사람은 내가 아니라—.』

『—불만을 표시하겠어.』

바로 그때, 코토리의 말을 끊으며 차분한 목소리가 스피커에서 흘러나왔다. 그와 동시에 모니터에 윈도가 표시되더니, 검은색 수영복을 입은 오리가미가 모습을 드러냈다.

『내가 제안한 건 이 정도 수위의 작전이 아냐. 아직 늦지 않았어. 빨리 방침을 전환해줘.』

『너 말이야……. 아무리 그래도 그렇지, 누드 해변은 무리라구!』

코토리의 말을 들은 승무원들이 사레가 들린 것처럼 기침을 토했다.

"……처, 처음에는 그런 작전이었군요……."

"뭐랄까…… 토비이치 오리가미다워요……."

〈짚인형(네일 노커)〉 시이자키와 〈사장(CEO) 오빠〉 미키모토가 식은땀을 흘리면서 말했다. 하지만 오리가미는 태연한 어조로 말을 이었다.

『이유가 뭐야?』

『그, 그야…….』

『그편이 시도의 의표를 확실하게 찌를 수 있어. 지금은 시도와 키스를 해서 파이프를 넓히는 게 최우선일 텐데?』

『그건…… 그럴지도 모르지만…….』

코토리는 우물쭈물하면서 말끝을 흐렸다.

"……진정해, 오리가미. 심판은 어디까지나 신이야. 지나친 노출은 신을 놀라게 할 뿐일지도 몰라."

『아하. 즉, 한 꺼풀씩 서서히 벗는 편이 낫다는 뜻?』

"……아니, 그런 뜻으로 한 말은 아닌데……."

볼을 긁적이던 레이네는 마음을 다잡듯 헛기침을 한 후, 모니터를 쳐다보았다.

모니터 안의 시도는 나츠미의 능력으로 순식간에 수영복으로 갈아입은 후, 정령들을 향해 걸음을 옮기고 있었다. 처음에는 놀란 것 같았지만, 지금은 흥분한 듯한 반응조차 보이지 않았다. 역시 키스를 하기 위해서는 능동적인 공략이 필요할 것 같았다.

"아무튼, 공략을 시작하자. 우선 누구부터 시작할 거지?"

레이네가 입을 연 순간, 스피커에서 새로운 목소리가 들려왔다.

『크크, 강자란 앞장서서 전장으로 향하는 이를 일컫는 말이지. 우선 우리가 먼저 나서겠느니라.』

『자부(自負). 유즈루와 카구야에게 맡겨주세요.』

모니터에 새로운 윈도가 표시되더니, 동일한 디자인의 수영복(단, 무늬는 좌우 반대)을 입은 야마이 자매의 모습이 나왔다.

“……흠, 야마이 자매부터인가. 다들, 괜찮지?”

『응. 물론이야. 솜씨 좀 보도록 할까?』

『좋아. 선봉은 맡기겠어.』

『……뭐, 좋을 대로 하라구.』

시도에게서 조금 떨어진 위치에 있는 정령들이 응답했다.

인터컴을 통해 그 말을 들은 카구야와 유즈루는 동시에 고개를 끄덕인 후, 어디서 배웠는지는 모르겠지만 모델 워킹으로 시도를 향해 다가갔다.

『크큭, 시도여. 겁도 없이 여기까지 온 걸 칭찬해주마!』

『수긍. 아무래도, 유즈루들의 매력에 푹 빠진 것 같아요.』

그 말에 답하듯, 시도가 두 사람을 향해 고개를 돌렸다.

『아, 카구야와 유즈루구나. 하하, 두 사람의 수영복 차림을 보는 건 천앙제 이후로 처음이지? 역시 몸매가 좋으니 수영복이 빛을 발하는걸. 두 사람 다 잘 어울려. 정말— 예뻐.』

시도는 그렇게 말한 후, 두 사람을 향해 구김 없는 미소를 지었다.

그런 솔직한 칭찬을 들을 거라고는 예상하지 못한 것일까. 자신만만하게 나선 카구야와 유즈루는 얼굴을 새빨갛게 붉혔다.

“카구야 양, 유즈루 양, 둘 다 호감도 상승!”

“반하게 해야 할 사람이 도리어 반해버리면 어떻게 하냐고요!”

시이자키의 새된 목소리가 임시 사령실에 울려 퍼졌다.

그와 동시에, 모니터에 새로운 윈도가 표시되었다.

그것은 세 개의 선택지가 표시된 윈도였다.

**①좌우에서 시도를 꼭 끌어안으면서 필살 가슴 부비부비 공격.**

**②소프트아이스크림을 입에 묻히고 바닐라 풍미 키스.**

**③두 사람이 인간 바나나 보트가 된 시도 위에 타고 풀장 유람 여행.**

"오오, 나왔군요! 전원, 선택!"

칸나즈키가 힘찬 목소리로 외쳤다. 그러자 각각의 승무원들이 눈앞에 있는 콘솔을 조작해서 선택지 중 하나를 골랐다.

"역시 이럴 때는 ①이죠."

"예. 두 명이기에 가능한 방법이니까요. ②도 나쁘지는 않아요. 하지만…… ③은 특정 취미의 소유자가 아니면 기뻐하지 않을 것 같네요."

승무원들이 그렇게 말하자, 칸나즈키는 뜻밖이라는 듯이 눈을 치켜떴다.

"예엣?! ③도 괜찮잖아요! 끝내주잖아요! 가슴이 마구 뛸 거라고요! 목에 밧줄까지 걸면 더 끝내주겠죠! 분명 시도 군도 저와 같은 생각일 겁니다. 두 사람, 들리죠? ③으로—."

"—카와고에 씨!"

"오케이!"

칸나즈키가 야마이 자매에게 지시를 내리려 한 순간, 카와고에가 그에게 달려들었다. 그리고 그 틈에 미키모토가 칸나즈키의 두 팔을 잡았고, 나카츠가와가 밧줄로 칸나즈키를 의자에 묶었다.

"여, 여러분, 뭐 하는 거죠?! 설마 쿠데타?!"

"죄송합니다, 부사령관님."

"하지만 부사령관님이 폭주하려고 하면 이렇게 하라고 사령관께서 미리 명령을 내리셨던지라……."

"아하! 역시 사령관님! 제 취향을 잘 알고 계시군요! 그럼 더 세게 묶어주세요! 왼손을 묶은 밧줄이 느슨하잖아요! 더 세게 묶으라고요!"

의자에 묶인 칸나즈키가 볼을 새빨갛게 붉힌 채 하아하아 하고 거친 숨을 내쉬었다. 그 모습을 본 승무원들의 볼을 타고 땀이 흘러내렸다.

"……그럼 무라사메 해석관, 뒷일을 부탁합니다!"

그 말을 들은 레이네는 「……응」 하고 말하면서 고개를 끄덕인 후, 인터컴과 연결된 마이크에 입을 댔다.

『……두 사람, 내 말 들리지? ①이야.』

인터컴 너머에 있는 레이네가 지시를 내렸다.

"흠……. 크큭, 야마이에게 그런 짓을 당한다면 순진무구한 시도는 단 한 순간도 버티지 못할 것이니라."

"주의. 카구야, 이런 건 과감하게 해야 해요. 부끄럽다고 어정쩡하게 하지 마세요."

"아, 안 그래! 괜찮아! 걱정할 필요 없다구!"

"긍정. 그럼— 시작할게요."

카구야와 유즈루는 서로를 바라보며 고개를 끄덕인 후, 시도를 향해 돌아섰다.

그리고 시도에게 찰싹 달라붙어서 앉더니, 그와 팔짱을 꼈다.

"응? 두 사람 다 뭐 하는 거야?"

시도는 눈을 껌뻑이면서 두 사람의 얼굴을 번갈아 쳐다보았다. 한순간 시선을 교환한 카구야와 유즈루는 소리 없이 입술 움직임만으로「하나, 둘」하고 말한 후, 완벽하게 동일한 타이밍에 자신들의 가슴을 시도의 팔에 댔다.

"어?"

그 감촉을 느낀 시도는 눈을 치켜떴다. 카구야와 유즈루는 볼을 붉힌 채 입술 가장자리를 말아 올렸다.

"크, 크큭…… 어떠하냐, 시도. 우리의 색기 때문에 두근이 가슴가슴하지 않느냐?"

"동의. 무리하지 않아도 돼요. 자아, 자아."

두 사람은 그렇게 말하면서 시도와 더욱 몸을 밀착시켰다.

하지만 시도는 후우 하고 한숨을 내쉬더니, 작게 고개를 저었다.

"어이, 두 사람. 나로서는 기쁘기 그지없는 시추에이션이지만, 시집도 안 간 여자애가 함부로 이런 짓을 하면 안 된다고."

"뭐……?!"

"경악. 시도답지 않은 여유예요."

시도의 반응을 본 카구야와 유즈루는 무심코 식은땀을 흘렸다.

평소의 시도라면 두 사람의 가슴이 닿은 순간 얼굴이 토마토처럼 벌게지면서 당황할 대로 당황했을 것이다. 하지만 지금의 시도는 전혀 그런 반응을 보이지 않았다.

시도가 차분한 목소리로 그렇게 말하자, 도리어 카구야와 유즈루가 부끄러움을 느꼈다. 고개를 숙인 두 사람은 거북한 듯이 시도의 시선을 피했다.

그러자 시도는 두 사람의 머리를 살며시 쓰다듬어줬다.

"그래도 고마워. 카구야와 유즈루는 나를 구하기 위해서 이런 짓을 한 거잖아? 그 마음은 정말 기뻐."

"으윽……."

"화끈. 약았어요, 시도."

왠지 한 방 먹은 듯한 느낌이 든 카구야와 유즈루는 신음을 흘렸다.

『……그렇게 비관적으로 생각할 필요 없어. 카구야, 유즈루.』

바로 그때, 레이네의 목소리가 들려왔다.

『……신은 태연한 표정을 짓고 있지만 두 사람의 가슴이 닿은 순간, 명백하게 흥분 수치가 상승했어. 조금만 더 밀어붙이면 돼.』

카구야와 유즈루는 그 말을 듣고 서로를 쳐다보았다.

"크…… 크큭. 뭐냐. 제대로 반응했지 않느냐."

"긍정. 겉으로는 안 그런 척하지만 실은 평소보다 더 밝히는 것 같아요."

『……이번에는 ②를 시험해보자. 소프트아이스크림을 입에 묻히고 바닐라 풍미 키스야. 풀 옆에 아이스크림 가게가 있지?』

레이네가 말한 곳을 쳐다보니, 열대 지방 느낌이 물씬 나게 꾸며진 가게가 보였다. 〈라타토스크〉의 기관원으로 보이는 여성이 방긋 웃는 얼굴로 그 가게를 운영하고 있었다.

카구야와 유즈루는 작게 고개를 끄덕인 후, 몸을 일으켰다.

"크큭, 시도여. 잠시만 기다리거라. 눈의 여신의 입맞춤을 전해주마!"

"통역. 소프트아이스크림을 사 올 테니 조금만 기다려주세요."

그렇게 말한 두 사람은 모래사장을 향해 달려가더니, 가게에서 소프트아이스크림을 두 개 주문해서 받은 후 시도의 곁으로 돌아왔다.

"응?"

두 사람이 들고 있는 소프트아이스크림의 숫자를 본 시도는 고개를 갸웃거렸다.

"뭐야. 너희 거만 산 거야? 너무하네."

시도는 쓴웃음을 지으면서 어깨를 으쓱했다. 하지만 카구야와 유즈루는 고개를 저었다.

"훗, 시도여. 생각이 짧구나."

"전달. 하나는 시도 거예요. 받으세요."

유즈루가 소프트아이스크림을 건네자, 시도는 영문을 모르겠다는 듯이 눈을 동그랗게 떴다.

"으음, 고마워. 하지만 이러면 유즈루가 먹을 게 없잖아. 혹시 돈이 모자랐던 거야?"

"부정. 그렇지 않아요. 하지만 유즈루와 카구야는 하나로 충분해요. ……카구야."

"……으음."

유즈루가 재촉하듯 말하자, 카구야는 잠시 동안 부끄러움을 타듯 망설인 후, 들고 있던 소프트아이스크림을 내밀었다. 유즈루가 그 소프트아이스크림에 살며시 자신의 손을 댔다.

그리고 카구야와 유즈루는 서로를 바라보며 고개를 끄덕인 후, 입술을 내밀더니, 시도가 보는 앞에서 소프트아이스크림을 핥기 시작했다. ―둘이서, 동시에 말이다.

"아…… 하응."

"감……미. 이건……."

상대의 숨결이 볼을 살며시 스쳤다. 하얗고 달콤한 크림 너머로 서로의 혀가 꿈틀거리고 있는 것이 느껴졌다. 카구야와 유즈루는 이 음탕한 시추에이션 때문에 뇌수가 타들어가는 듯한 느낌을 받았다. 배덕적이면서도 관능적이며, 고혹적인 쾌감. 그렇다. 이것은 의외로 자극적이었다. 이거라면 시도도…….

『……두 사람. 분투 중에 이런 말을 해서 미안하지만, 그건 너희끼리가 아니라 신과 해야 하지 않을까?』

하지만 인터컴에서 흘러나온 레이네의 말을 들은 순간, 두 사람은 움직임을 멈췄다.

"……아."

"실수. 그러고 보니 그렇군요."

확실히 레이네의 말이 옳았다. 문장을 보고 멋대로 둘이서 하는 거라고 판단했지만, 이래서는 시도에게 두 사람의 러브러브 플레이를 보여주고 있는 것뿐이다. 자신들이 방금 한 행위에서 비롯된 부끄러움과 착각에 대한 부끄러움의 더블 펀치가 두 사람의 얼굴을 새빨갛게 만들었다.

하지만 두 사람은 시도의 얼굴 또한 살짝 발그레해졌다는 사실을 눈치챘다.

"……응? 어라?"

"의아. 틀린 거 아니었나요?"

『앗, 무라사메 해석관! 시도 군의 흥분 수치가 상승하고 있습니다!』

인터컴에서 〈CEO〉 미키모토의 목소리가 흘러나왔다.

『아무래도 야마이 자매의 러브러브 플레이를 보고 시각적인 흥분을 느낀 것 같습니다!』

『무리도 아니지요……! 솔직히 말해 녹화해뒀다가 밤에 혼자서 즐기고 싶은 레벨이었어요.』

〈디멘션 브레이커〉 나카츠가와의 말에 몇몇 사람들이 동의하는 목소리가 들렸다. 그 뒤를 이어 〈네일 노커〉 시이자키의 어이없어하는 목소리가 들려왔다.

『……미노와 씨. 이 방을 나가는 남성 멤버들의 신체검사를 제안할게요.』

『응. 그렇게 하자.』

『말도 안 돼! 어디까지나 연구용입니다!』

『그래! 순수한 지적 호기심이라고!』

『아, 예~. 그것보다 무라사메 해석관.』

『……응. 잘됐네. 하지만 현재의 흥분 수치는 84. 한 번만 더 밀어붙이면 될 것 같은데 말이야.』

카구야와 유즈루는 레이네의 말을 듣고 미간을 찌푸렸다.

"으음…… 하지만 그 밀어붙일 방법이 떠오르지 않는다

만…….”

“주의. 카구야, 소프트아이스크림이 묻었어요.”

유즈루가 그렇게 말한 순간, 두 사람의 체온 때문에 녹은 소프트아이스크림이 콘에서 유즈루의 가슴을 향해 떨어졌다.

“한기. 꺄아.”

유즈루는 어깨를 부르르 떨었다. 그러자 소프트아이스크림은 유즈루의 가슴 계곡을 통해 카구야의 허벅지로 떨어졌다.

“꺄앗! 차, 차가워~.”

카구야는 눈을 꼭 감더니 불쾌하다는 듯이 인상을 썼다.

“우와, 끈적끈적해~. 뭐, 닦을 거 좀 없어?”

“제안. 풀장에 들어가면 이 정도는 금방—.”

말을 잇던 유즈루의 눈썹 가장자리가 희미하게 흔들렸다. 그런 유즈루를 본 카구야는 영문을 모르겠다는 듯이 고개를 갸웃거렸다.

“응? 유즈루, 왜 그래?”

“계시(啓示). 이거라면…….”

유즈루는 그렇게 말하면서 카구야의 뒤편으로 이동했다. 그리고 그녀의 어깨를 잡더니 시도를 향해 밀었다.

그리고—.

“요청. 시도, 유즈루와 카구야의 몸이 소프트아이스크림으로 끈적끈적해졌어요. —시도의 혀로 깨끗하게 해주세요."

"응?"

시도는 눈을 동그랗게 떴다. 잠시 후, 유즈루가 한 말의 의미를 이해한 카구야가 언성을 높였다.

"잠깐만……?! 유, 유즈루, 무슨 소리를 하는 거야?!"

"제지. 진정하세요, 카구야. 전화위복. 화(禍)가 바뀌어 복(福)이 된다. 이것이 바로 역전의 방책이에요. 카구야의 가슴 사이즈는 평범하지만 탄력 있는 피부는 일급품이잖아요."

"가슴 사이즈가 평범한 거에 뭐 보태줬어?! 그리고 할 거면 유즈루의 가슴부터 깨끗하게 해달라고 하라구!"

"거부. 유즈루가 먼저 하면 카구야 차례 때 자극이 부족해서 시도가 흥분하지 않을지도 몰라요."

"너 지금 나를 칭찬하는 거야?! 아님 바보 취급하는 거야?!"

카구야가 비명에 가까운 고함을 지르자, 바로 옆에서 그 모습을 보고 있던 시도가 씨익 웃었다.

"흐음……? 카구야, 내가 깨끗하게 해줬으면 하는 거야?"

"……윽! 그, 그게……."

"충언. 카구야."

유즈루가 카구야에게 귓속말을 했다. 그러자 카구야는 얼굴을 새빨갛게 붉히면서 고개를 끄덕였다.

"……부, 부탁…… 드려요오……."

카구야의 말을 들은 시도는 「흐음?」 하고 미소를 짓더니, 혀로 자신의 입술을 핥았다.

그리고 그 자리에서 무릎을 꿇더니, 카구야의 허벅지를 향해 얼굴을 내밀었다.

"…………읏!"

시도의 혀가 카구야의 피부에 닿으려고— 한 바로 그 순간이었다.

갑자기 오른쪽 귀에서 『빰빠라밤~!』 하고 커다란 팡파르 소리가 흘러나오자, 카구야와 유즈루는 동시에 화들짝 놀랐다.

"우하앗?!"

"경악. 방금 그 소리는 뭐죠?"

두 사람이 눈을 동그랗게 떴을 때, 두 사람의 의문에 답하듯 인터컴에서 레이네의 목소리가 흘러나왔다.

『……두 사람 다 축하해. 방금 신의 흥분 수치가 90을 넘었어. 그것도 너희 둘을 대상으로 한 수치가 말이야.』

"뭐?! 그럼……."

"달성. 시도가 유즈루와 카구야 때문에 가슴이 두근거렸다는 거군요."

카구야와 유즈루가 그렇게 말하자, 그 대화를 듣고 어떻게 된 것인지 눈치챈 시도가 어깨를 으쓱하면서 말했다.

"아무래도 당한 것 같네. 역시 야마이 자매야."

"응? 아— 크, 크크큭! 그러하느냐! 구풍의 왕녀, 야마이의 매력을 톡톡히 느낀 것 같구나!"

카구야는 얼버무리듯 웃음을 터뜨렸다. 그러자 시도는 눈을 가늘게 뜨면서 크림이 묻은 허벅지를 손가락으로 가리켰다.

"……그건 그렇고, 계속할까?"

"……읏! 으, 으으……."

카구야는 다시 볼을 새빨갛게 붉히면서 고개를 숙였다.

◇

"…………."

색기가 느껴지지 않는 원피스 수영복을 입은 나츠미(뭐, 색기가 없는 건 수영복만이 아니지만)는 실내 풀장에 설치된 바위 뒤편에 숨어서 시도와 야마이 자매를 훔쳐보고 있었다.

들키지 않기 위해 조금 떨어진 곳에 있기는 하지만, 인터컴의 채널을 맞추면 세 사람의 대화를 들을 수 있기 때문에 그들이 뭘 해서 어떤 결과를 맞이했는지 알 수 있었다.

아무래도 두 사람은 시도를 두근거리게 만드는 데 성공한 것 같았다. 역시 언제나 자신만만한 카구야, 그리고 의외로 하이스펙인 유즈루다웠다. 그녀들은 멋지게 돌격대장의 임무를 수행했다.

하지만 나츠미는 크게 놀라지 않았다. 저렇게 애정 표현을 해대는 미인 자매 두 명을 싫어할 남자는 존재할 리 없기 때문이다.

그리고 다른 정령들 또한 충분히 해낼 수 있을 거라고 나츠미는 생각하고 있었다. 여신인 요시노느님은 물론이고, 토카는 순진무구하고 귀여운 데다 몸매도 끝내주며, 코토리의 의붓동생이라는 배덕적인 느낌을 자아내는 포지션과 드센 성격은 남자의 마음을 자극한다. 행동에 약간 문제가 있기는 하지만 미쿠의 가슴은 그야말로 흉기에 가깝고, 오리가미 또한…… 포박술이 뛰어나다. 다들 시도와 키스를 할 수 있을 것이다.

하지만 그렇게 됐을 때 문제가 되는 이는 다름 아닌 나츠미였다.

"두근거리게 만들라니…… 완전 말도 안 되는 조건이잖아."

나츠미는 분통을 터뜨리면서 주먹을 말아 쥐었다.

상대의 악의가 명백하게 느껴졌다. 아름다운 외모를 지닌 정령들 사이에서, 유일하게 평균점수를 떨어뜨리고 있는 문제아, 나츠미를 괴롭히려고 작정한 듯한 조건이었다.

다들 당연히 달성할 수 있는 조건을 혼자만 클리어하지

못한다는 초조함. 그리고 그 때문에 다른 사람들에게 폐를 끼치게 될 것에 대한 공포. 당사자 외에는 알기 힘들겠지만, 그것은 의외로 강렬했다.

예를 들자면, 반 대항 단체 줄넘기에서 「좋아. 다른 반들의 기록은 형편없어!」, 「그래. 열 번만 넘으면 우승이라고!」, 「우리가 우승한 거나 다름없네!」, 「좋아. 가자! 하나, 둘, 셋~ 앗」, 「어이, 대체 누구야……」, 「우와. 말도 안 돼……」 같은 느낌이다. 그래서 처음부터 줄넘기 잘 못한다고 말했잖아! 왜 잘 뛰는 녀석이 줄을 돌리고 있는 건데?! 가진 자가 가지지 못한 자를 못살게 구는 사회인 거야?!

나츠미는 왠지 목을 마구 쥐어뜯고 싶어졌다.

"……아, 아무튼, 내가 이 조건을 통과하는 건 불가능해……."

나츠미는 머리를 벅벅 긁으면서 암담한 목소리를 낸 후, 생각에 잠겼다.

나츠미가 시도의 가슴을 뛰게 만들지 못하더라도, 오늘 밤 열두 시에 다른 이들이 그와 키스를 해서 파이프를 넓힌다면, 그는 분명 지금보다 약해질 것이다. 그렇게 되면 다른 사람들에게 시도를 꼼짝 못하게 잡아달라고 한 후, 억지로 키스를 하는 것이다……. 칭찬받을 만한 방법은 아닐지도 모르지만, 긴급한 상황이니 다들 납득해주리라.

"좋아……. 이 작전으로 가자."

"어떤 작전인데?"

"그러니까 우선 다른 애들이— 윽, 꺄앗?!"

느닷없이 들려온 그 목소리에 놀란 나츠미는 새된 비명을 지르면서 그 자리에서 펄쩍 뛰었다.

"시, 시도?!"

그리고 어느새 자신의 등 뒤에 서 있던 인물의 이름을 불렀다.

그렇다. 그 사람은 아까까지 야마이 자매와 이야기를 나누고 있던 시도였다.

"나츠미, 이런 데서 뭘 하고 있는 거야?"

"……아, 아무것도…… 아냐……. 그것보다 빨리 다른 애들한테 가보라구. 토카가 널 찾고 있는 것 같으니까……."

나츠미가 그렇게 말하자, 시도는 「으음」 하고 낮은 신음을 흘리며 생각에 잠긴 듯한 행동을 취한 후, 악동 같은 미소를 지었다.

"싫다면 어쩔 거야?"

"뭐……? 대, 대체 무슨 소리를 하는 거야?"

"그러니까 나츠미가 내 가슴을 두근거리게 할 때까지, 다른 정령들한테 가지 않겠다는 거야."

"……뭐어?!"

나츠미는 시도의 말을 듣고 눈을 치켜떴다.

"자…… 잠깐만 있어봐! 그거, 농담이지?! 수, 순서는 우리 쪽에서 자유롭게 정해도 되는 거 아니었어?! 그리고 왜 나부터인 건데?!"

"그러고 싶은 기분이야."

"헛소리하지 마아아아아아앗?!"

『……진정해, 나츠미.』

나츠미가 새된 목소리로 고함을 지른 순간, 인터컴에서 졸린 듯한 목소리가 흘러나왔다.

지하 임시 사령실 모니터 화면에 표시된 나츠미와 시도 위에 선택지 윈도가 떠올랐다.

**①미성숙한 몸을 활용한 순진무구한 어프로치로 두근두근.**

**②여유 넘치는 성인 여성 같은 대응을 통한 갭 승부.**

**③노회한 로리 할망구 같은 매력으로 승부.**

"……전원, 선택해줘."

레이네가 멍한 목소리로 그렇게 말하자, 승무원들이 콘솔을 조작했다. 곧 화면에 결과가 표시되었다.

결과는 ②였다.

"……그래. ②네."

"예. 시도 군은 로리콤 기질도 있는 듯하니 ①도 괜찮겠지만, 나츠미 양에게 그런 걸 시키는 건 좀 너무한 것 같은지라……."

"뭐, ②도 좀 너무한 느낌이기는 하지만, 그래도 누님 모드일 때를 떠올리면서 한다면 어떻게 될 것 같기도……."

"어, ③은 안 되는 건가요? 지금까지 경험해보지 않은 느낌이니 꽤 잘 먹힐 것 같은데요……."

"그래…… 나카츠가와 씨는 부사령관님만큼은 아니지만 약간 성적 취향이 마니악하지……."

승무원들이 입을 모아 말했다. 레이네는 인터컴과 연결된 마이크에 입을 댔다.

"……나츠미, 들었지? ②야."

인터컴을 통해 레이네에게서 지시를 받은 나츠미는 마른 침을 삼켰다.

—여유 넘치는 성인 여성 같은 대응을 통한 갭 승부. 그것을 지금, 시도를 상대로 하라는 것인가.

"……윽."

심장이 미친 듯이 뛰기 시작했고, 너무 긴장한 탓인지 온몸에서 땀이 뿜어져 나왔다.

하지만 그것도 무리는 아니었다. 현재 나츠미는 시도와 이어져 있는 파이프가 좁아진 상태이기 때문에, 정신 상태가 불안정해져도 영력이 거의 역류하지 않는다. 즉, 나츠미에게 있어 마음의 버팀목이라 할 수 있는 변신 능력을 만족스럽게 쓸 수 없는 것이다.

나츠미는 시도와 처음 만났을 때, 어른의 매력으로 시도를 농락했다. 하지만 그것은 〈위조마녀(하니엘)〉를 이용해 누님 모드라는 가면을 썼기 때문에 가능했다. 원래 낯을 많이 가리며 대인 공포증이 있어서, 다시 태어난다면 암컷만으로 개체 증식을 할 수 있는 단위 생식 생물로 태어나고 싶다고 생각하는 나츠미에게는 도저히 무리였다.

하지만 그런 소리를 할 상황이 아니라는 것은 나츠미도 잘 알고 있었다. 지금 나츠미가 포기한다면 시도는 힘이 폭주해서 최악의 경우 죽어버릴지도 모르는 것이다. 그렇게 되어버리면 요시노를 비롯한 다른 정령들이 슬퍼할 테고— 나츠미 또한 그런 사태가 발생하는 것을 용납할 수 없었다.

지금의 나츠미가 존재할 수 있는 것은 시도 덕분이다. 긴장된 탓에 현기증이 났고 목소리는 상기되었다. 하지만 해야만 한다. 나츠미는 온몸에서 긁어모은 한 줌의 용기를 가슴에 품으며, 각오를 다지듯 고개를 들었다.

그리고 어설프게 **교태**를 부리면서 시도에게 말을 건넸다.

"아…… 아항~. 시도 군도 참…… 그렇게 내가 좋은 거니? 어쩔 수…… 없는, 애라니깐……."

나츠미는 그렇게 말하면서 최대한 색기를 쥐어짜내며 시도의 팔을 손가락으로 매만졌다.

하지만—.

"…………퓹."

시도는 손으로 얼굴을 가리면서 웃음을 터뜨렸다.

그 순간, 표면 장력에 의해 겨우겨우 컵 밖으로 흘러나오지 않는 물처럼 한계에 봉착해 있던 나츠미의 수치심이 폭발했다.

"크…… 크아아아아아아아앗! 왜, 왜왜왜, 왜 웃는 거야아아아~! 바보 취급하는 거지?! 바보 취급하는 거지이이잇?! 이상한 건 나도 안다구! 나 같은 땅딸보가 에로틱한 누님 흉내를 내봤자 웃길 뿐이라는 건 잘 알고 있단 말이야아아아앗! 하지만 어쩔 수 없잖아! 나보고 뭘 어떻게 하라는 건데에에에에엣!"

"미안 미안. 바보 취급한 건 아냐. 흐뭇한 미소가 입가에 저절로 배어나왔을 뿐이라고."

"시끄러워! 완곡한 표현 쓰지 마! 듣는 사람은 더 열받는다구!"

나츠미는 절규를 지른 후, 머리카락을 쥐어뜯었다.

—아아, 무리다. 역시 무리다. 역시 자신은 『이대로』는 싸울 수 없다. 『이대로』는 시도를 구할 수 없다.

그렇게 판단한 나츠미는 손가락으로 시도를 가리켰다.

"……잠깐만 기다리고 있어!"

"뭐?"

시도가 눈을 동그랗게 떴지만, 나츠미는 그런 그를 무시하고 돌아섰다. 그리고 아까 옷을 갈아입었던 탈의실을 향해 뛰어갔다.

실내 풀장 한편에 설치된 탈의실 안에는 각양각색의 사이즈 및 디자인을 지닌 수영복이 구비되어 있었다. 시도가 오기 전에 다 같이 이 수영복들을 둘러본 후, 각자가 자신에게 어울리는 수영복을 골랐다. 참고로 나츠미는 최대한 수수한 수영복을 골랐다.

나츠미는 산더미처럼 쌓인 수영복 안에서 재빨리 새로운 수영복을 골랐다. 지금 입고 있는 것과 비슷한 원피스 타입의 수영복이 아니라 대담한 느낌의 비키니 타입 수영복, 그것도 미쿠나 유즈루를 위해 준비한 것으로 보이는 사이즈의 수영복이었다.

"좋아……."

나츠미는 각오를 다지듯 주먹을 말아 쥐더니, 입고 있던 수영복을 벗었다.

지금 상태에서 영력을 사용하면 위험하다는 것은 알고 있다. 하지만 나츠미가 시도를 구하기 위해서는『이 방법』밖에 없었다.

나츠미는 가늘게 숨을 내쉰 후, 의식을 집중시켰다.

—어이, 다 같이 통신으로 대전 하자~. 아니, 괜찮아…… 라니. 아, 나츠미는 이 게임 없었던가? 미안. 그랬구나. 그럼 혼자서 놀고 있을래?

"……너, 내가 그 게임 없는 거 처음부터 알고 있었잖아아아아아아아아아앗!"

머릿속으로 부정적인 망상의 나래를 펼친 나츠미는 고함을 질렀다. 그러자, 나츠미의 몸이 옅은 빛을 뿜더니, 그녀의 실루엣이 빼빼 마른 땅딸보에서 글래머러스한 여성으로 변모했다.

그렇다. 다른 정령과는 비교도 안 될 만큼 멘탈이 약한 나츠미는 부정적인 장면을 상상하기만 해도 영력을 한정 해제시킬 수 있다.

그리고 성인 누님 모드가 된 나츠미에게는 무서울 것이 없었다.

"우후후……. 그럼 시도 군을 상대해볼까?"

아까까지와는 달리 자신감이 넘치는 나츠미는 거울 앞에서 섹시한 포즈를 취한 후, 준비해둔 비키니를 입고 탈의실을 나섰다.

그러자, 인터컴에서 레이네의 목소리가 흘러나왔다.

『……나츠미, 그 모습— 영력을 사용한 거야? 위험해. 지금 당장 원래 모습으로 돌아와.』

"후후, 걱정하지 마. 영력 절약을 위해서 수영복은 변형시키지 않고 진짜를 입었다구."

『……그래도 안 돼. 위험해. 지금 당장—.』

"예~예~. 알았어요~."

나츠미는 어깨를 으쓱하면서 한숨을 내쉬더니…….

"시도 군을 후딱 두근거리게 만들면 되잖아?"

흐흥 하고 코웃음을 치면서 시도를 향해 걸어갔다.

"시도 군. 많이 기·다·렸·지?"

"아, 나츠미……. 너, 그 모습은……."

시도는 놀랐는지 눈을 동그랗게 떴다. 나츠미는 여유 넘치는 미소를 지으면서 시도와 몸을 밀착시키더니, 아까처럼 그의 팔을 손가락으로 매만졌다.

"이 모습? 흐음…… 시도 군도 참. 내 몸에 흥미 있는 거야?"

나츠미는 장난기 섞인 목소리로 그렇게 말하면서 시도를 희롱했다.

"시도 군은 여자애의 어느 부분을 가장 좋아하려나~. 이 누님에게 가르쳐주면 안 돼? 그러면 선심 써서 만지게 해줄게~."

나츠미가 도발하듯 그렇게 말하자, 시도는 씨익 웃었다. 평소의 시도라면 볼을 붉히면서 당황하겠지만, 역시 고열과 영력 때문에 조금 이상해진 것 같았다.

"하하. 나츠미, 그런 소리를 해도 괜찮겠어? 고등학교 2학년 남자애의 망상을 너무 얕보는 거 아냐?"

"후후, 사양할 필요 없어. 자…… 이 누님에게 더욱 어리광을 부리렴."

나츠미는 그렇게 말하면서 시도의 턱을 들어 올렸다.

바로 그 순간이었다.

"—으윽?!"

갑자기 가슴에서 날카로운 통증이 느껴지더니, 나츠미는

온몸을 부들부들 떨기 시작했다.

"크, 크윽…… 이건……."

"어이, 나츠미? 왜 그래?"

나츠미가 진땀을 흘리며 몸을 웅크리자, 시도는 걱정 섞인 목소리로 그녀에게 말을 걸었다. 하지만 나츠미가 느끼고 있는 고통은 전혀 줄어들지 않았다. 점점 몸이 뜨거워지기 시작하더니, 호흡마저도 힘들어졌다.

그리고 나츠미의 의식이 끊어지려 한 순간.

나츠미의 몸에서 옅은 빛이 뿜어져 나오더니, 그녀는 누님 모드에서 원래의 조그마한 체구로 되돌아갔다. 아무래도 벌써 영력이 바닥나고 만 것 같았다.

게다가 누님 모드가 되면서 수영복을 갈아입은 탓에 큰일이 벌어지고 말았다.

원래보다 20센티미터 이상 큰 가슴을 감싸고 있던 비키니 상의가 한쪽 어깨끈만 겨우겨우 걸린 채 그대로 흘러내리고 만 것이다.

"꺄앗~?!"

나츠미는 비명을 지르며 그 자리에서 몸을 웅크리더니, 손으로 가슴과 아랫배 쪽을 가렸다.

시도는 잠시 동안 그런 나츠미를 멍하니 쳐다보더니…….

"—픕, 후후, 하하하, 아하하하하하하핫!"

이윽고 더는 견디지 못하겠다는 듯이 배를 잡으며 웃음을 터뜨렸다.

"시…… 시, 시끄러워어어어엇! 웃지 마아아아앗! 네가 원래의 나 같은 꼬맹이는 안중에도 없어서 이렇게 된 거잖아아아아앗!"

"하하…… 미안해. 좀 놀랐거든……."

"다 알아! 다 안다구! 너도 나 같은 못난이와 키스하는 게 싫은 거지?! 그래서 자기를 두근거리게 한 사람과 키스하겠다는 조건을 건 거잖아! 그러지 말고 솔직하게 말하라구!"

나츠미가 될 대로 되라는 심정으로 그렇게 외치자, 시도는 어깨를 으쓱했다.

"어이 어이, 아무도 그런 말은 하지 않았잖아. 그리고—."

"말 안 해도 그 정도는 다 안다구우우웃! 그리고 최종적으로 『자아, 이 중에 저를 두근거리게 하지 않은 사람이 딱 한 명 있습니다~』 같은 소리를 하면서 딴 애들 앞에서 나를 공개 처형할 생각이지이이이이잇?! 젠장, 젠장, 젠자아아앙! 대체 어떻게 하면 가슴이 두근거릴—."

바로 그때였다. 고래고래 고함을 지르던 나츠미는 알게됐다.

오른쪽 귀에 꽂은 인터컴에서 조건을 클리어했다는 것을 알리는 팡파르가 흘러나오고 있다는 사실을 말이다.

"—어?"

나츠미는 눈을 동그랗게 떴다. 한순간, 무슨 일이 일어난 것인지 이해하지 못한 그녀는 어안이 벙벙해졌다.

『……클리어 축하해, 나츠미. 신은 너의 요염한 모습을 보고 마음이 움직인 것 같아.』

“어…… 거짓말. 정말로……?”

나츠미는 인터컴에서 흘러나온 레이네의 말이 믿기지 않는지 망연자실한 표정을 지었다.

그러자 시도는 근처에 설치된 해변용 침대 쪽에 가서 얇은 파카를 가지고 오더니, 나츠미의 어깨에 걸쳐줬다.

그리고 몇 초 동안 나츠미를 응시한 후, 입가에 미소를 머금었다.

“……왜, 왜 그래?”

“후후…… 별거 아냐. 나츠미, 너는 정말…… 귀엽구나.”

“뭐……?!”

그 뜻밖의 말을 들은 나츠미의 얼굴은 전율로 가득 찼다.

“느닷없이 무슨 소리를 하는 거야……?! 누, 눈이 삔 거 아냐……?!”

“그렇지 않아. 나츠미는 귀여워. 내가 보증할게.”

“으…… 윽…….”

“귀여워. 나츠미는 귀여워. 엄청 귀여워.”

“잠깐만…….”

“진짜로 귀여워. 무지무지 귀여워.”

“…………으으………….”

“귀여워, 나츠미.”

"……끄, 끄아아아아아아아아앗!"

얼굴이 토마토처럼 빨개진 나츠미는 시도를 풀장에 빠뜨렸다.

◇

『오호~, 나츠미도 꽤 하네~. 아, 이제는 귀여운 나츠미라고 불러야 할지도 모르겠어~.』

"응. 나츠미 씨…… 대단해."

나츠미의 분투를 본 요시노는 왼손에 낀 『요시농』의 말을 듣고 고개를 끄덕였다.

이걸로 야마이 자매를 포함해 세 명이 시도를 두근거리게 만드는 데 성공했다. 물론 선부른 예측을 허락하지 않는 상황이기는 하지만 비교적 순조롭다고 할 수 있으리라.

『……자, 다음은 누가 나설 거지?』

바로 그때, 인터컴에서 레이네의 목소리가 흘러나왔다.

그 순간, 『요시농』이 손을 마구 흔들었다.

『아~, 이번에는 요시노 차례야~.』

"……아! 요, 요시농……?"

요시농이 느닷없이 그렇게 말하자, 요시노는 눈을 치켜떴다.

『……으음, 요시노가 할 거야?』

"아, 아뇨. 저는 아직……."

『요시노~, 지금은 힘내야 할 때라구~. 항상 도움을 받은 만큼, 시도 군을 도와줘야지! 그러려고 아까 작전 회의도 했잖아~!』

"……윽."

그 말을 들은 요시노는 어깨를 희미하게 떨었다. 『요시농』의 말이 옳았다. 지금 시도를 구할 수 있는 이는 요시노를 비롯한 정령들뿐이다. 주저하고 있을 때가 아닌 것이다.

각오를 다진 요시노는 레이네를 향해 말했다.

"해, 해볼, 게요……!"

『……응. 알았어. 힘내.』

레이네는 차분한 어조로 말했다. 요시노는 마음을 진정시키려는 것처럼 가슴에 손을 댄 채 스읍 하고 심호흡을 한 후, 천천히 고개를 들었다.

"가자, 요시농……!"

『오케이! 그럼 요시노. 아까 세운 작전대로 하는 거야!』

"으, 응……."

요시노는 각오를 다지듯 고개를 끄덕인 후, 시도를 향해 뛰어갔다. 그 사실을 눈치챈 시도가 그녀를 향해 고개를 돌렸다.

"아, 요시노와 요시농. 하하, 귀여운 수영복이네."

"고, 고마……워요."

"뭐, 요시노가 더 귀엽지만 말이야."

"……윽!"

시도가 시선을 마주한 상태에서 그렇게 말하자, 요시노는 무심코 얼굴을 붉혔다.

그대로 몇 초 동안 아무 말도 하지 못하자, 『요시농』이 재촉하듯 요시노의 옆구리를 톡톡 두드렸다.

"아…… 시도 씨, 저기……."

요시노는 말을 하면서 『요시농』 안에 숨겨뒀던 조그마한 병을 꺼냈다. 그러자 『요시농』이 『흐오오오옹!』 하고 기묘한 소리를 냈다.

"어, 그건 뭐야?"

"저기…… 자외선 차단 크림……이에요. 시도 씨에게 발라 드릴까 해서……."

"자외선 차단?"

시도는 그렇게 말하면서 고개를 들었다. 열대 지방 느낌으로 꾸며진 이곳의 천장에는 푸른 하늘이 펼쳐져 있고, 인공적인 태양이 떠 있었지만…… 여기서도 피부가 타는지는 알 수 없었다.

하지만 시도는 밝은 미소를 지었다.

"그렇구나. 그럼 잘 부탁해. 카구야와 유즈루에게 발라준 적은 있지만, 발라보는 건 처음이야."

시도는 인공 모래사장에 시트를 깔더니, 그 위에 드러누웠다.

“아, 예…….”

요시노는 고개를 끄덕인 후, 『요시농』의 몸에 비닐 커버를 씌우더니 손에 자외선 차단 크림을 묻혔다. 그리고…….

“시, 실례……할게요.”

요시노는 각오를 다진 후, 말타기 하듯 시도의 몸 위에 올라탔다.

“어, 꽤 대담하네.”

“……읏! 저, 저기…… 죄송해요…….”

“사과 안 해도 돼. 계속해줘.”

“아, 예…….”

그 말을 들은 요시노는 『요시농』과 함께 시도의 등에 마사지하듯 크림을 발랐다.

“…….”

이렇게 만져보니 자신의 몸과 시도의 몸이 어떻게 다른지 알 수 있었다. 시도는 중성적인 외모를 지녔지만, 그의 등은 넓었으며, 팔에는 꽤 근육이 붙어 있었다. 그의 몸에 손을 대고 있을 뿐인데도, 요시노는 얼굴이 약간 화끈거렸다.

“아…… 꽤 기분 좋네. 예전에 내가 발라줬을 때 카구야와 유즈루가 그런 반응을 보였던 것도 이해가 돼. 요시노, 꽤 잘하는걸?”

“고, 고마워요…….”

요시노는 부끄러워하면서 시도의 몸에 열심히 크림을 발랐다.

그리고 시도의 등 전체에 크림을 바른 요시노는 휴우 하고 숨을 내쉬며 호흡을 고른 후, 입을 열었다.

“저기…… 시도 씨. 등은 끝났어요.”

“응? 아, 고마워.”

“그러니까, 저기…… 이, 이번에는, 앞쪽을…… 발라드릴게요……!”

요시노가 눈을 꼭 감으면서 그렇게 말하자, 시도는 눈을 동그랗게 뜬 후, 재미있어하듯 「흐음」 하고 중얼거렸다.

“그래? 그럼…… 부탁해.”

그녀의 말에 대답한 시도는 요시노에게 잠시 비켜달라는 제스처를 보냈다. 그러자 요시노는 허둥지둥 시도의 등에서 몸을 일으켰다.

그러자 시도는 왠지 요염해 보이는 동작으로 몸을 일으키더니, 그대로 돌아누웠다.

“자…… 요시노. 이리 와.”

시도는 요시노를 유혹하듯 손짓을 했다.

“예…….”

요시노는 작은 목소리로 대답한 후, 머뭇거리면서 시도의 몸 위로 올라가더니— 그대로 그의 배 위에 걸터앉았다.

“그, 그럼…… 시작할게요.”

그리고 아까와 마찬가지로 손에 크림을 묻히더니, 시도의 가슴과 배에 바르기 시작했다. 요시노의 손가락이 닿을 때마다 시도의 근육이 희미하게 떨렸다.

바로 그때, 오른쪽 귀에 착용한 인터컴에서 레이네의 목소리가 흘러나왔다.

『……신의 흥분 수치가 순조롭게 상승하고 있어. 요시노, 조금만 더하면 돼.』

"조금만…… 더…….

"응? 뭐가 말이야?"

"그…… 그게……."

요시노는 우물쭈물하면서 고개를 돌렸다. 그러자 왼손에 낀 『요시농』이 요시노의 말을 대변하듯 입을 뻐끔뻐끔했다.

『저기 저기, 시도 군~? 요시농 생각에는 말이야~. 좀 더 아래쪽까지 세밀하게 바르는 편이 좋을 것 같아~.』

"응? 아래쪽, 이라면……."

시도는 『요시농』의 말을 듣고 자신의 하반신을 쳐다보려 했다.

하지만 현재 시도의 배 위에는 요시노가 걸터앉아 있었다. 그래서 필연적으로 시도의 시선은 요시노의 하반신에 막히고 말았다. 요시노의 발치에서부터 정강이, 무릎, 그리고— 수영복 하의 아래로 뻗은 허벅지에 말이다.

"으……."

시도의 시선이 자신을 핥고 있는 듯한 착각이 든 요시노는 무심코 숨을 삼켰다.

"요시노, 요시농은 저렇게 말하는데 어떻게 할 거야?"

"아…… 저는……."

요시노는 오른손으로 얼굴을 가리면서 가녀린 목소리로 말했다.

"……해, 해볼……게요……."

"알았어."

시도는 천천히 고개를 끄덕였다. 요시노는 하아하아 하고 거친 숨을 내쉬면서 시도의 배 위에서 방향을 전환하더니, 그의 발치를 쳐다보았다.

하지만 요시노의 손이 시도의 허벅지에 닿으려 한 순간.

엄청난 진동이 그들이 있는 시설을 덮쳤다.

"—꺄, 꺄아앗?!"

강력한 지진이라도 발생한 것처럼 시설 전체가 흔들리자 요시노는 무심코 비명을 질렀다. 천장에서 폭음이 터져 나왔고, 벽에는 금이 갔으며, 열대 지방 느낌을 자아내고 있던 오브제들이 부서지거나 쓰러졌다. 시설 안에 있는 정령들과 〈라타토스크〉 기관원의 얼굴이 경악으로 물들었다.

"요시노!"

그 순간, 요시노의 이름을 외친 시도는 그녀를 꼭 끌어안은 채 그대로 풀장 속으로 다이빙했다.

시도가 그런 행동을 취한 이유는 금방 알게됐다. 아까까지 요시노가 있던 장소에, 천장에 달려 있던 거대한 조명이 떨어진 것이다.

"고, 고마워요……."

"별거 아냐. 그것보다 뭐가 어떻게 된 거지?"

"이건……."

이것이 자연재해가 아니라는 것은 금세 눈치챘다. 시도에게 힘을 봉인당하기 전에 몇 번이나 맛봤던 감각. 그것은 바로 인간의 악의와 살의에 의해 만들어진 병기의 냄새였다.

요시노는 구멍이 난 시설의 천장을 쳐다보았다. 그러자 기묘한 형태를 지닌 실루엣 몇 개가 눈에 들어왔다.

"뭐야?! 대체 무슨 일이 일어난 거야?!"

열대 지방풍 오브제 뒤에 숨어서 분투 중인 요시노를 지켜보던 코토리는 꽤나 전망이 좋아진 천장을 올려다보면서 미간을 찌푸렸다.

"—레이네?! 대체 무슨 일이야?!"

『……긴급 사태야. 너희가 있는 시설 상공에서 〈밴더스내치〉의 반응이 여러 개 확인됐어. 그리고 조금 떨어진 곳에는 엘렌 메이저스로 추정되는 반응도 존재해.』

"뭐어?!"

〈밴더스내치〉. DEM인더스트리의 원격 조작식 인간형 병기다. 레이네의 말대로 연기를 뿜고 있는 천장에 생긴 구멍 너머로, 붉은색으로 빛나는 카메라아이(camera eye)가 몇 개나 보였다.

그리고 엘렌 메이저스. 인류 최강의 위저드이자 DEM이 보유한 최대 전력(戰力)이다.

"크…… DEM이 냄새를 맡은 거야?!"

『……그래. 아마 타깃은 신일 거야. ……미안해. 이건 우리 쪽의 미스야. 이렇게 간단히 접근을 허락할 줄은 몰랐어.』

"아냐. 〈프락시너스〉가 있을 때처럼 되지 않을 거라는 건 알고 있었어. 그것보다 이 상황을 어떻게 할지가 더 중요해. 크, 하필이면 이럴 때에……!"

코토리는 짜증으로 가득 찬 목소리로 말했다. 하지만 그녀가 그러는 것도 무리는 아니었다. 지금은 〈프락시너스〉도 없으며, 정령들은 영력을 쓸 수 없는 상태다. 이 상황에서 최강의 위저드인 엘렌 메이저스가 나타나다니, 그야말로 최악의 시추에이션이라 할 수 있었다.

『……시간이 없어. 코토리와 정령들은 계속 신을 공략해 줘. 엘렌 메이저스는 이쪽에서 어떻게든 대처할게.』

"대처하겠다니, 그런 게—."

『……맡겨만 줘. 가능하면 쓰고 싶지 않았지만, 이런 일도 있을까 해서 대항책을 준비해뒀어.』

레이네는 차분한 목소리로 말했다. 그 말을 들은 코토리는 한순간 망설인 후, 알았다는 듯이 고개를 끄덕였다.

"레이네가 그렇게 말하는 걸 보면 분명 괜찮겠지. —좋아. 그쪽은 맡길게. 이 상황에서 풀장을 이용하는 건 무리일 것 같네. 세컨드 시퀀스 발동, 예비 시설을 준비해줘."

『……알았어. 그럼 건투를—.』

레이네가 말을 끝까지 잇기도 전에, 누군가가 코토리의 시야 한쪽 구석에서 천천히 걸음을 옮기고 있었다. 그는 바로 시도였다.

"어이 어이, 꽤나 화끈하게 일을 벌여줬잖아. 먼저 시작한 건 너희야. 그러니 각오도 되어 있겠지?"

시도는 그렇게 말하면서 하늘에 떠 있는 수많은 〈밴더스내치〉를 노려보았다. 그리고 지면을 내디디듯 다리를 벌리더니 양손을 모아 허리 언저리에 댔다.

"시도……? 뭐 하는 거야?"

코토리가 영문을 모르겠다는 표정을 지으며 묻자, 시도는 그녀를 힐끔 쳐다보면서 훗 하고 코웃음을 쳤다.

"잘 보라고."

그 순간, 시도의 손안에서 영력의 빛이 집속되기 시작했다.

그리고— 시도는 외쳤다.

그 기술명을…….

—파아아아아앗!

오의! 순·섬·굉·폭

시도는 날카로운 기합성을 지르면서 하늘을 향해 양손을 내밀었다.

그 순간, 시도의 손바닥에서 엄청난 영력파가 뿜어져 나왔다.

토카의 〈오살공(鏖殺公)〉(산달폰)이나 오리가미의 〈절멸천사(絕滅天使)〉(메타트론)와 비교해도 손색이 없을 만큼 농밀한 힘의 격류가 반쯤 부서진 천장을 완전히 꿰뚫더니, 잠시 동안 밤하늘을 한낮처럼 밝혔다. 그리고 시설 상공에 밀집해 있었던 것으로 추정되는 수십 기의 〈밴더스내치〉들은 갑작스러운 공격을 피하지 못한 채 하늘로 쏘아올린 불꽃놀이 폭죽처럼 스러져갔다.

"말도 안 돼?!"

코토리가 비명에 가까운 목소리로 그렇게 외쳤다. 시도는 현재 정령 여덟 명 몫의 영력을 보유하고 있으니 이런 짓이 가능하더라도 이상할 것은 없지만…… 뭐랄까, 매우 기묘한 광경을 본 것 같은 느낌이 들었다.

"레, 레이네. 네가 말한 대항책이 이건 아니겠지……?"

『……그래. 아냐.』

코토리가 당혹스러운 목소리로 묻자, 레이네는 차분한 목소리로 대답했다.

바로 그때, 시도는 한 건 해냈다는 듯이 이마를 가볍게 훔쳤다.

"오랜 세월 동안 내가 해온 단련의 성과를 똑똑히 봐둬라. —라고나 할까?"

"……."

꽤나 웃기기는 하지만, 그래도 무시무시한 위력이었다. 이대로 시도를 내버려둘 수는 없다. 딱히 긴장을 풀었던 것은 아니지만, 코토리는 다시 한 번 결의를 새롭게 다졌다.

"시도 씨……!"

코토리가 그런 생각을 하고 있을 때, 요시노가 시도를 향해 뛰어왔다. 그러고 보니 지금은 요시노가 시도를 공략하고 있는 중이었다.

"아, 요시노. 방해꾼은 다 처리했으니까 안심해."

"으음, 예……."

볼에 땀방울이 맺힌 요시노는 애매하게 대답했다. 하지만 그녀가 저러는 마음도 이해가 되지 않는 것은 아니었다. 방금 시도가 날린 일격을 본 사람은 누구나 저런 반응을 보일 것이다.

바로 그때, 코토리가 눈을 깜빡였다. 요시노가 입은 원피스 수영복의 배 부분이 찢어져서 귀여운 배꼽이 드러나 있었던 것이다.

"요시노. 수영복 좀 봐봐."

"예? 왜— 앗."

코토리의 말을 듣고 수영복이 찢어졌다는 사실을 눈치챈

요시노는 자신의 배를 쳐다보면서 깜짝 놀랐다.

"어라라…… 어디 걸려서 찢어진 것 같네. 갈아입는 편이 낫지 않겠어?"

"아…… 괜찮아요. 왜냐하면……."

코토리의 말을 들은 요시노는 천천히 수영복 어깨끈을 잡았다. 그리고 그대로 수영복을 훌러덩 벗었다.

"요, 요시노, 뭐 하는 거야?!"

코토리가 허둥지둥 말리려 했지만, 한발 늦었다. 요시노는 『요시농』과 협력해서 수영복을 허리 언저리까지 내렸다. 원피스 수영복에 감싸여 있던 요시노의 새하얀 피부가 훤히 드러났다.

"……어?"

하지만 코토리는 눈을 깜빡였다.

요시노는 수영복 안에 튜브 톱 타입의 비키니 수영복을 하나 더 입고 있었던 것이다.

"요시노, 그건……."

"아…… 혹시 모르니까 안에 한 개 더 입는 게 좋을 거라고 요시농이……."

"혹시 모른다니…… 수영복이 찢어졌을 때를 대비한 건 아니지?"

"으, 으음…… 저기…… 예."

요시노가 부끄러워하듯 어깨를 움츠리면서 얼굴을 붉혔다.

그 순간, 인터컴에서 흥분 수치 90 돌파를 알리는 팡파르 소리가 흘러나왔다.

"……어?!"

깜짝 놀라며 시도 쪽을 쳐다보니, 그는 흥미로 가득 찬 시선으로 수영복을 반쯤 벗은 요시노를 응시하고 있었다. 그는 턱에 손을 댄 채 미술 평론가라도 된 것처럼 때때로 고개를 끄덕이고 있었다.

"저, 저기……."

그 시선을 눈치챈 요시노는 더욱 얼굴을 붉혔다.

"……요시노…… 무서운 아이!"

코토리는 전율에 찬 목소리로 중얼거렸다.

# 제4장 파티 타임

"앗……."

텐구 시에서 조금 떨어진 곳에 위치한 정체불명의 시설. 기묘한 영파 반응이 관측되는 그곳을 한눈에 볼 수 있는 언덕 위에 있던 엘렌은 경악한 나머지 눈을 치켜떴다.

하지만 그녀가 그런 반응을 보이는 것도 당연했다. 그도 그럴 것이, 선발대로서 시설을 공격하던 20기의 〈밴더스내치〉가 시설에서 방출된 정체불명의 광선에 의해 전부 파괴되고 만 것이다.

『〈밴더스내치〉 부대, 소멸됐습니다……!』

『어, 엄청난 영력치입니다……!』

CR-유닛에 탑재된 통신기에서 오퍼레이터의 목소리가 흘러나왔다. 엘렌은 짜증이 난 것처럼 미간을 찌푸리더니— 곧 흥 하고 코웃음을 쳤다.

"……그런가요. 역시 평범한 시설은 아니었던 것 같군요."

엘렌이 그렇게 말하면서 팔짱을 끼자, 그녀의 장비들이 철컹하고 소리를 냈다.

현재 엘렌이 걸친 것은 낮에 입고 있었던 코트가 아니었다. 왕의 이름을 지닌 백은색 CR-유닛 〈펜드래건〉이었다.

인류 최강의 위저드인 엘렌을 위해 만들어진 최강의 갑옷이자, 검. 이 장비를 착용한 엘렌의 상대가 될 만한 적은 이 세상에 존재하지 않았다. 위저드조차 아닌 이츠카 시도 정도는 직접 손을 쓰지 않고도 무릎 꿇릴 수 있으리라.

"……."

그런 생각을 한 순간, 낮에 보였던 추태가 머릿속에 떠올랐다. 엘렌은 짜증을 내듯 손가락으로 팔꿈치를 두드리면서 〈밴더스내치〉들에게 지시를 내렸다.

"제2진, 준비. 이번에는 저도 같이 나서겠습니다. 대공 포격에 주의해주십시오."

""""예!""""

엘렌의 말에 오퍼레이터들이 대답한 후, 그녀의 등 뒤에 배치되어 있던 〈밴더스내치〉 부대가 무기를 치켜들면서 하늘로 날아올랐다.

하지만 바로 그 순간—.

"……앗?!"

한 줄기 빛이 시야를 가르고 지나가더니, 앞장서던 〈밴더스내치〉 셋의 머리가 눈 깜짝할 사이에 폭발했다.

"이건……."

엘렌은 그렇게 중얼거린 후, 반쯤 무의식적으로 등 쪽에 장착한 고출력 레이저 블레이드 〈칼라드볼그〉의 칼자루를 쥐었다. 그리고 그것을 뽑아 들면서 마력으로 빛의 칼날을 생성하자마자, 눈앞에 나타난 그림자를 향해 휘둘렀다.

그 순간, 엄청난 마력광이 주위로 퍼져나갔다.

"—마나."

"역시 엘렌. 쉽게 당해주지는 않아버리나 보네요."

엘렌이 그 이름을 입에 담자, 눈 깜짝할 사이에 모습을 드러낸 소녀가 입술 가장자리를 일그러뜨리면서 뒤쪽으로 몸을 날렸다.

머리카락을 하나로 모아 묶은 앳된 소녀였다. 하지만 그녀의 몸을 감싼 청색과 칠흑색으로 된 CR-유닛이 그녀의 범상치 않은 경력을 밝히고 있었다.

타카미야 마나. 이츠카 시도의 친동생이자 전직 DEM 넘버2였던 위저드다.

"당신이 나타날 거라고는 생각도 못 했습니다."

"오라버니한테 큰일이 났는데 어떻게 가만히 있어버리겠냐고요. 미안하지만, 내가 온 이상 당신 뜻대로는 안 될 거예요. 엘렌."

마나가 도발하듯 말했다. 그러자 엘렌은 불쾌하다는 듯이 미간을 찌푸렸다.

"……당신들 남매는 정말 저를 불쾌하게 만드는군요. 이제 와서 이런 말을 하는 것도 그렇지만, 역시 **그때** 죽여버릴 걸 그랬어요. 정말, 아이크의 도락 때문에 골치가 아프군요."

마나는 엘렌의 말을 듣고 영문을 모르겠다는 듯이 미간을 찌푸렸다.

"……그때? 언제를 말해버리는 거죠?"

"글쎄요. 과연 언제일까요?"

"흥…… 뭐, 좋아요. 아무튼 당신을 보내줄 수는 없어요."

그렇게 말한 마나는 오른손에 들고 있는 검으로 엘렌을 겨눴다.

엘렌도 작게 코웃음을 친 후, 〈칼라드볼그〉의 끝으로 마나를 겨눴다.

◇

요시노가 시도를 두근거리게 만든 후, 〈밴더스내치〉의 공격과 시도의 오의인 순섬굉폭파 때문에 금방이라도 무너질 것 같은 실내 풀장의 한편에서, 정령들은 임시 회의를 하고 있었다.

"좋아. 방해를 좀 받기는 했지만, 요시노도 공략에 성공했어. 남은 사람은 총 네 명이야!"

코토리가 그렇게 말하자, 다른 정령들이 "오오!" 하고 환성을 질렀다.

"음. 꽤 순조롭구나."

"하지만 문제는 지금부터야. 거꾸로 말하자면 아직 반밖에 성공하지 않은 거잖아. 게다가 엘렌 메이저스까지 나타났어. 레이네 쪽은 적들에 대처하고 있으니까, 우리 쪽을 지원해주는 건 어려울 거야."

"으음. 그것도 문제지만, 그 이전에—."

미쿠는 턱에 손가락을 하나 댄 채 주위를 둘러보았다.

"아까까지만 해도 열대 지방의 낙원이었던 곳이 어느새 분쟁 지대로 바뀌어버렸는데…… 이런 곳에서 어떻게 달링을 두근거리게 만들죠~?"

확실히 옳은 말이기는 했다. 〈라타토스크〉가 준비해준 특별 시설이 DEM의 습격 탓에 엉망진창이 되고 만 것이다. 언제 시설이 무너질지 모르는 상황에서 시도 공략에 힘쓰는 것은 무리일 것이다.

하지만 코토리는 걱정하지 말라는 듯이 고개를 저었다.

"이미 준비를 해뒀으니 안심해. 아까 세컨드 시퀀스를 발동시켰으니까 이미 준비는 끝났을 거야."

"세컨드……? 그게 무엇이냐?"

토카가 영문을 모르겠다는 표정을 지으면서 물었다. 아니,

토카만이 아니었다. 다른 정령들도 감이 오지 않는 것 같았다.

"잘 봐."

코토리는 오른손 손가락을 입에 물더니, 그대로 삐이이이이이— 하고 손 휘파람을 불었다.

그러자 그에 맞춰 건물 벽이 고오오오…… 하는 소리를 내면서 진동하기 시작했다.

다들 또 공격이 재개됐다고 생각한 것 같지만, 곧 아까와는 다른 진동이라는 사실을 눈치챈 것 같았다. 그녀들은 주위를 두리번거리면서 경악에 찬 표정을 지었다.

그것도 무리는 아니었다. 푸른 하늘을 표현하고 있던 벽이 변형되고, 열대 지방 분위기를 내고 있던 야자나무가 뿌리 쪽에 있는 금속 부분을 드러내면서 가변(可變)됐으며, 풀의 물이 엄청난 속도로 배출되더니, 지면 전체가 엘리베이터처럼 가라앉기 시작한 것이다.

"오…… 오옷?!"

그리고 지면이 몇 미터 아래쪽으로 이동했을 즈음 천장에 두꺼운 셸터 같은 것이 처졌고, 인공 모래사장이 깔끔하게 나눠지더니 그 아래에서 붉은색 카펫이 모습을 드러냈다.

그것만이 아니었다. 메카니컬한 구동음이 들리면서 조명이 전개되었고, 바닥에서 테이블이 튀어나오더니 화려한 장식이 차례차례 설치되었다. 그 뒤를 이어 턱시도와 이브닝

드레스를 입은 엑스트라들이 주위로 흩어지더니 악기를 연주하거나, 웨이터 업무를 보거나, 상류층 느낌이 물씬 나는 화제를 가지고 이야기꽃을 피웠다.

몇 분도 채 지나기 전에, 이곳은 화려한 파티 홀로 변모했다.

"이, 이게 다 무엇이냐?!"

"호오……! 꽤 화려하지 않느냐. 게다가 이 메카니컬한 느낌…… 가슴이 끓어오르는구나!"

"동의. 변형은 로망이에요."

"……우와, 엄청나. 내 능력은 완전 저리 가라네……."

정령들은 입을 모아 놀라움을 표시했다.

하지만, 아직 부족했다. 이 호화로운 공간과 코토리 일행의 수영복 차림은 심각하게 동떨어진 느낌이었다.

"코디네이터 팀!"

""""예!""""

코토리가 고함을 지르자, 여러 명의 여성 스태프들이 정령들을 향해 뛰어왔다.

"뭐, 뭐 하는 것이냐?!"

"자, 이쪽으로 오세요."

여성 스태프가 정령들을 홀 구석에 설치된 커튼 너머로 유도했다.

그리고 몇 분 후—.

커튼이 걷히자, 화려한 드레스를 입은 정령들이 파티 홀에 모습을 드러냈다.

"오오, 이건……!"

"엄청……나요."

"꺄아~! 여러분, 멋있어요~!"

미쿠가 정령들을 바라보면서 몸을 배배 꼬았다.

코토리는 손을 펼치면서 힘찬 목소리로 선언했다.

"이것이야말로 시도 공략용 세컨드 시퀀스, 엘레강트 스타일! 자, 다들! 기품 넘치는 숙녀의 매력으로, 시도를 반하게 만드는 거야!"

그 말에 답하듯, 정령들은 주먹을 치켜들며 「오~!」 하고 외쳤다. 숙녀답지 않은 행동이지만, 지금 중요한 것은 시시콜콜한 매너가 아니라 시도를 구하고 싶다는 마음이었다.

코토리는 허리에 손을 대면서 가슴을 폈다.

"좋아. 그럼 내가 시범을 보여줄게."

코토리가 스커트를 휘날리며 그렇게 말하자, 다른 소녀들은 고개를 끄덕였다.

오리가미는 코토리의 선전을 기원하듯 엄지를 치켜들었다.

"무운을 빌게."

"응. 고마워."

힐을 신은 코토리는 구두 소리를 내면서 걸음을 옮기더니 그대로 시도 앞에 섰다.

"오, 드디어 사령관님께서 왕림하셨구나."

시도는 미소를 짓더니 놀리듯 말했다. 참고로 시도 또한 다른 소녀들과 마찬가지로 수영복에서 맵시 있는 턱시도로 바뀌어 있었다.

코토리는 팔짱을 끼더니 흥 하고 코웃음을 쳤다.

"그래. 시도가 익숙하지 않은 파티 홀에서 당황할까 싶어서 말이야."

"이런 이런."

시도는 과장스럽게 어깨를 으쓱했다.

"그런데 코토리는 뭘 할 생각인 거야?"

그리고 재미있어하듯 그렇게 말했다. 그 말을 듣고 팔짱을 푼 코토리는 오른손을 머리 위로 치켜들더니, 딱! 하는 소리가 나게 손가락을 튕겼다.

그러자 그에 맞춰 홀 한쪽에 있던 연주자들이 우아한 곡조의 음악을 연주하기 시작했다.

그리고 주위에서 담소를 나누던 기관원들이 자연스럽게 남녀 페어를 이루더니, 그 음악에 맞춰 춤을 추기 시작했다. 느닷없이 영화의 한 장면 같은 광경이 펼쳐지자, 시도는 놀란 것처럼 눈을 동그랗게 떴다.

"오오, 엄청나네. 진짜로 파티가 벌어진 것 같아."

시도는 그렇게 말하면서 눈을 반짝였다. 그 모습을 본 코토리는 고개를 절레절레 저으면서 한숨을 내쉬었다.

"시도."
"응? 왜?"
"―설마 이 상황에서 여자애한테 그 말을 하게 하려는 건 아니겠지?"
코토리가 도끼눈을 뜨면서 그렇게 말하자, 시도는 그녀의 의도를 눈치챘는지 작게 웃었다.
"아…… 물론이지."
그리고 시도는 코토리를 향해 손을 내밀었다.
"거기 계신 아름다운 아가씨. 저와 춤추지 않겠습니까?"
"참 잘했어요."
코토리는 입가에 미소를 머금으면서 대답한 후, 시도의 손을 잡으며 무릎을 살며시 굽혔다.
두 사람은 시선을 교환한 후, 사람들이 춤을 추고 있는 에어리어를 향해 걸음을 옮겼다.
하지만 두 사람이 홀의 중심에 선 후, 시도가 입을 열었다.
"저기, 코토리. 이제 와서 이런 말을 하는 것도 좀 그렇지만, 골치 아픈 문제가 하나 있어."
"뭔데?"
"이 오빠는 사교댄스를 출 줄 몰라."
"……."
그건 그럴 것이다. 시도는 현재 고열과 영력 때문에 언동이 플레이보이틱하기는 하지만, 배운 적이 없는 것까지 할 수 있게 된 것은 아니었다.

“좋아. 그쯤은 이미 예상했어. 우선 오른손으로 내 왼손을 살며시 잡아.”

“이렇게?”

“응. 그리고 이번에는 왼손을 내 허리에 둘러.”

“알았어.”

시도는 순순히 고개를 끄덕인 후, 코토리의 허리를 향해 왼손을 뻗었다. 하지만 그러면서, 코토리의 등을 손가락으로 애무하듯 매만졌다.

“꺄앗?!”

“아하하. 코토리도 꽤 귀여운 소리를 낼 줄 아는구나.”

“……너 말이야.”

코토리가 볼을 붉히면서 시도를 노려보자, 그는 웃음을 터뜨렸다.

“내가 잘못했으니까 너무 노려보지 마.”

“……하아. 내가 리드할 테니까 곡에 맞춰 움직여봐.”

“응. 알았어.”

시도는 살며시 고개를 끄덕인 후, 곡과 코토리의 움직임을 느끼면서 스텝을 밟았다.

“그래. 리드미컬하게 움직이는 거야. 원, 투, 쓰리, 원, 투, 쓰리.”

“어이 어이, 나와 몸을 밀착시키고 싶은 마음이야 알겠지만, 그래도 몸을 너무 내밀지는 말라고."

"마, 말도 안 되는 소리 하지 마! 헛소리하지 말고 춤이나 추라구!"

코토리는 얼굴을 붉히면서 고함을 질렀다. ……뭐, 춤을 추기 위해서는 몸을 밀착시킬 수밖에 없고, 그것이 시도를 두근거리게 만들기 위한 방법 중 하나이기도 하지만— 본인에게 지적을 받으니 엄청 부끄러웠다.

하지만 코토리가 긴장해버려서는 주객전도였다. 코토리는 태연을 가장하면서 더욱 시도와 몸을 밀착시켰다. 그리고 서로의 숨결을 느끼면서 우아한 곡조에 맞춰 홀 안을 돌아다니듯 춤을 췄다.

처음에는 어설펐지만, 몇 분 정도 지나자 시도도 이 움직임에 익숙해졌는지 점점 걸음이 대담해졌다.

"바로 그거야. 뭐야. 금방 능숙해졌잖아."

"하하. 좋은 선생님을 둔 덕분이지."

"응. 그래. 가르치는 사람이 우수한 게 분명해."

"겸손을 부릴 생각은 없나 보네."

시도가 농담 투로 그렇게 말하면서 코토리의 눈을 응시했다.

"그래도 좀 놀랐어. 대체 언제 이런 걸 익힌 거야?"

"숙녀의 기본 소양이야. 괄목상대……라는 말은 남자뿐만 아니라 여자한테도 적용된다구."

그렇게 말한 코토리는 시도를 도발하는 듯한 눈길로 올려다보았다.

"나도 언제까지나 애가 아냐. ―정신 바짝 안 차리면 확 두고 가버릴 거야, **오빠.**"

"――."

코토리가 그렇게 말하자, 시도는 숨을 삼키며 눈을 동그랗게 떴다.

그리고 잠시 후, 그는 웃음을 터뜨렸다.

"하하하…… 큰일인걸. 코토리가 이런 방식으로 내 가슴을 뛰게 만들 줄은 몰랐어."

"좀 거슬리는 발언이네……. 잠깐만. 시도, 방금 뭐라고 했어?"

코토리는 무심코 춤을 멈추고 되물었다. 방금 시도가 흘려들어선 안 되는 발언을 했기 때문이다.

그러자 바로 그 순간, 인터컴에서 팡파르 소리가 흘러나왔다.

그 소리가 들린 것은 아니겠지만, 시도는 부드러운 미소를 머금으면서 솔직하게 말했다.

"그래……. 두근거렸어. 역시 코토리야. 완전히 당했다니깐."

"……윽!"

자신의 눈을 응시하고 있는 시도가 전혀 부끄러워하지 않으면서 그렇게 말하자, 도리어 코토리가 얼굴을 붉히고 말았다. 고개를 돌린 코토리는 가슴을 쫙 펴면서 입을 열었다.

"흐, 흥……. 당연하지. 시도를 반하게 만드는 건, 나한테 있어 식은 죽 먹기나 다름없다구."

"그래, 코토리가 이렇게 어른스러운 방식을 쓸 거라고는 꿈에도 생각하지 못했거든. 그 갭에 완전히 당했어. 아까 코토리가 댄스를 추자고 했을 때는 춤추다 스텝이 엉켜 넘어지며 치마 속의 캐릭터 무늬 팬티를 훤히 보이는 것으로 내 가슴을 뛰게 만드는 작전이라고 생각했다니깐."

"나를 너무 바보 취급하는 거 아냐?! 그리고 캐릭터 무늬 팬티는 이제 안 입는다구!"

"알아. 농담한 거야, 농담."

시도는 웃음을 흘리면서 그렇게 말했다. 그러자 코토리는 「……정말」 하고 중얼거리면서 한숨을 내쉬었다.

"……아무튼, 그럼 나는 조건을 클리어한 거지?"

"그래. 물론이야. 오늘 밤 열두 시가 기대되는걸. 나의 신데렐라."

시도는 그렇게 말하면서 코토리의 손등에 쪽 하고 입맞춤을 했다. 그러자 코토리는 또 경악하고 말았다.

"어…… 어……?!"

"음? 얼굴이 꽤나 빨갛잖아. 어른인 코토리는 이 정도 일로는 동요하지 않을 거라고 생각했는데 말이야."

"—다, 당연하지! 이 정도는 인사라구, 인사!"

코토리가 억지로 태연한 척을 하자, 시도는 재미있다는 듯이 미소를 머금었다.

"그래. 그러고 보니 우리는 5년 전과 올해 6월, 총 두 번이나 키스를 했잖아. 이제 와서 이 정도 일로 당황한다는 건 말도 안 되지?"

"마, 맞아. 벌써…… 두 번이나 했네."

코토리는 그 말에 대답하면서 자신의 얼굴이 새빨갛게 달아오르는 것을 느꼈다. 두 번. 그렇다. 코토리와 시도는 두 번이나 키스를 했다. 당연히 코토리도 기억하고 있었지만, 이렇게 그 사실을 인식하니 그녀의 의지와는 상관없이 심장이 두근거렸다.

시도는 코토리의 상태를 꿰뚫어 본 것처럼 미소를 짓더니, 그녀의 귀에 입술을 대고 속삭이듯 말했다.

"코토리도 언제까지나 어린애는 아니니까…… 세 번째는 어른의 키스를 해볼까?"

"뭐?!"

귀를 간질이는 숨결과 함께 들려온 그 말이, 코토리를 경악하게 만들었다.

"어, 어른의…… 끼쓰……?"

너무 놀란 나머지 혀가 잘 돌아가지 않았다. 키스. 어른의, 키스. 그 말이 어떤 의미인지는 알고 있다. 그것이 무엇을 가리키는지도, 지식으로서는 알고 있다. 하지만, 5년 전은 물론이고 반년 전의 키스도 입술과 입술이 살짝 닿았을 뿐이다. 그래서 코토리는 마음 한편으로 오늘 밤 열두 시에 할 시도와의 키스 또한 마찬가지일 거라고 생각하고 있었다.

—하지만, 마, 말도 안 돼. 어른의, 키스라니. 아니, 안 된다는 건 아니지만, 마음의 준비가 필요하다고나 할까…….

"—냐암."

코토리의 머릿속이 폭발하기 직전, 시도가 갑자기 코토리의 귓불을 입술로 살짝 깨물었다.

"꺄앗?!"

그 탓에 깜짝 놀란 코토리는 그 자리에서 펄쩍 뛰었다. 그런 코토리를 본 시도는 아하하 하고 웃었다.

"역시 코토리에게는 아직 좀 이른 것 같은걸?"

"크, 크윽……."

코토리는 분하다는 듯이, 그러면서도 마음 한편으로 안도하면서 시도를 노려보았다.

◇

"코토리 씨~! 해냈군요~!"

미쿠가 힘찬 목소리로 맞이해주자, 여전히 볼이 붉은 코토리가 손을 살짝 들면서 대답했다.

"……응. 어찌어찌 성공했어."

"음! 대단하구나, 코토리!"

"아름다운…… 댄스였어요."

"응…… 고마워."

정령들의 말에 답하듯 코토리는 살짝 고개를 끄덕였다. 하지만…….

"코토리만 어른의 키스를 하는 건 불공평해."

오리가미가 차분한 목소리로 그렇게 말한 순간, 코토리는 아까 시도와 나눴던 대화를 떠올렸는지 얼굴이 새빨갛게 달아올랐다.

"그, 그러니까! 그건 시도가 멋대로 한 말……!"

"뭐어, 진정하세요~. 그것보다, 이번에는 제가 나서도 될까요~?"

미쿠가 코토리를 진정시키려는 것처럼 어깨에 손을 얹으며(겸사겸사 목덜미를 향해 숨결을 토하고, 엉덩이를 매만지면서) 말하자, 코토리는 깜짝 놀랐는지 「히익」 하고 외치면서 눈을 치켜떴다.

"……으, 응. 물론 괜찮아."

"고마워요~. 그리고 해보고 싶은 게 있어서 그러는데, 이런 걸 좀 부탁드려도 될까요?"

미쿠가 비밀스러운 이야기를 하듯 입가에 손을 대며 말하자, 코토리는 그녀를 경계하면서 귀를 내밀었다. 그러자 미쿠는 낮은 목소리로 그녀에게 귓속말을 했다.

"……이럴까 하는데, 가능할까요~?"

"응, 알았어. 준비시킬 테니까 적당한 때가 되면 신호를 보내줘."

"예! 고마워요~."

미쿠가 힘찬 목소리로 대답한 후, 코토리의 귀를 향해 숨을 불었다.

"우햐앗?!"

"우후후. 그럼 여러분. 다녀올게요~."

"이, 이익……!"

코토리는 귀를 움켜쥐면서 새된 목소리를 냈다. 미쿠는 입가에 손을 댄 채 조신한 웃음을 흘리면서 예를 표한 후, 아름다운 걸음걸이로 시도를 향해 걸어갔다.

"예~, 지명해주셔서 감사해요, 달링. 당신의 미쿠예요~."

시도 앞에 선 미쿠는 치마를 휘날리며 빙글 돌더니, 가슴을 흔들면서 포즈를 취했다. 딱히 지명 같은 것은 하지 않았지만, 분위기상 그렇게 말해본 것 같았다.

"아, 이번에는 미쿠구나. 하하, 그 옷도 잘 어울리는걸."

"고마워요~. 우후후. 달링도 멋져요~. 하지만 저희가 입은 이브닝드레스도 잘 어울릴 것 같은데요~? 아직 나츠미 양의 힘을 쓸 수 있나요? 시오리 양으로 변해서 저희처럼 드레스를 입어보는 건 어떤가요~?"

"글쎄. 아마 쓸 수 있을걸? 하지만 정말 변신해도 되겠어? 시오리가 그런 옷을 입으면 미쿠가 코피를 뿜어버릴 것 같은데?"

시도가 약간 연극 투의 목소리로 말했다. 그러자 미쿠는 무심코 몸을 배배 꼬았다.

"바라는 바예요! 설령 그 때문에 출혈 과다로 사망하더라도, 마지막 순간 제 눈에 비친 게 대담한 이브닝드레스를 입은 시오리 양이라면 여한이 없을 거예요! 아, 등은 최대한 노출해주세요!"

미쿠가 눈을 반짝이면서 열변을 토하자, 시도는 그녀를 달래듯 머리를 쓰다듬었다.

"하하, 그거 영광이네. 하지만 그 탓에 천하의 아이돌 미쿠가 숨을 거뒀다간 내가 미쿠 팬들에게 살해당하고 말 거야. 아니— 그 이전에, 진짜로 그런 이유로 미쿠가 죽는다면, 나도 울면서 네 뒤를 따를 수밖에 없잖아."

"달링……! 그렇게까지 저를 생각해주시는 거군요……!"

시도의 말을 들은 미쿠는 손으로 입가를 가리며 눈가를 촉촉하게 적셨다.

『……미쿠, 너 대체 뭐 하고 있는 거야? 매번 이딴 짓을 해야 되겠어?』

미쿠가 감격하고 있을 때, 오른쪽 귀에 꽂은 인터컴에서 목소리가 흘러나왔다. 그 목소리를 들은 미쿠는 뒤돌아서더니, 작은 목소리로 말했다.

“코토리 양, 어쩌죠? 저는 달링과 함께 무덤에 들어가는 것도 오케이예요. 하지만 달링이 행복하게 천수를 누렸으면 좋겠어요. 하지만 제 모세 혈관이 시오리 양의 충격에 견딜 수 있을지…….”

『그러니까 대체 무슨 소리를 하고 있는 거냐구! 시간이 없다고 몇 번이나 말했었잖아!』

코토리가 새된 목소리로 고함을 지르자, 미쿠는 볼을 긁적였다.

“아, 그랬죠. 죄송해요, 코토리 양. 왠지 탐미적인 달링과 이야기를 하다 보니 무심코…….”

『정말…… 정신 똑바로 차려. 정말 괜찮은 거야?』

“예. 맡겨주세요. 그럼 슬슬 시작할게요~.”

미쿠가 작은 목소리로 그렇게 말한 후, 미소를 머금으면서 시도를 향해 돌아섰다.

“그럼 달링. 아쉽지만 시간이 없는 것 같으니 후딱 달링을 두근거리게 만들게요~.”

“흐음? 꽤 자신이 넘치네. 대체 뭘 할 생각인 거야?”

시도는 재미있어하는 듯한 목소리로 말했다. 그러자 미쿠는 입가에 미소를 머금으면서 뒤돌아서더니, 큰 목소리로 외쳤다.

“—그럼 여러분, 잘 부탁해요~!”

미쿠가 그렇게 외치자, 악기를 든 연주자와 화려한 의상을 입은 여성들이 홀 안쪽에 존재하는 무대 위에 섰고, 중앙에 은색으로 반짝이는 스탠드 마이크가 놓였다.

미쿠는 그 모습을 본 후, 또각또각하고 힐 소리를 내면서 단상으로 올라가더니, 마이크 앞에 섰다.

그 순간, 홀 안의 조명이 꺼지고 미쿠를 향해 스포트라이트가 비춰졌다. 그에 맞춰 홀 안의 갤러리들이 환성을 지르면서 박수를 쳤다.

미쿠는 박수 소리가 가라앉을 때까지 기다린 후, 뒤쪽을 쳐다보며 연주자들과 시선을 교환했다.

그러자 연주자들은 고개를 작게 끄덕이면서 재즈풍의 곡을 연주하기 시작했다.

미쿠는 그 곡의 리듬에 몸을 맡기면서, 스탠드 마이크를 쥐더니— 감미로운 목소리로 노래를 부르기 시작했다.

"———."

독특한 곡조. 영어 가사. 아이돌인 미쿠가 평소 부르는 곡과는 전혀 다른 노래였다.

하지만 그 노래에 담긴 마음은 전혀 다르지 않았다. 달콤하기 그지없는, 사랑 노래였던 것이다.

그렇다. 미쿠는 시도를 자신에게 반하게 만들어야 한다는 말을 들은 순간부터, 방법은 하나뿐이라고 생각했다.

미쿠는 스탠드에서 마이크를 빼더니, 요염한 워킹으로 무대를 활보했다. 그리고 곡에 맞춰 춤추고 있는 여성 중 한 명과 몸을 밀착시키더니 그녀의 턱을 손가락으로 매만지면서 시도를 향해 도발적인 시선을 보냈다.

그에 맞춰, 스포트라이트가 시도를 비췄다. 그러자 시도는 놀랐는지 눈을 동그랗게 떴다.

"후훗."

요염한 미소를 머금은 미쿠는 반주에 맞춰 무대에서 내려오더니, 시도를 향해 걸음을 옮겼다. 미쿠를 비추던 스포트라이트와 백댄서들이 그런 그녀를 쫓듯 홀로 이동했다.

그리고 시도의 눈앞에 도착한 미쿠는 그의 손을 잡고 리드하듯 이동했다. 시도는 약간 놀란 듯한 표정을 지으면서도, 미쿠에게 몸을 맡긴 채 순순히 따라갔다.

미쿠가 향한 곳에는 어느새 커다란 소파가 놓여 있었다. 마치 그 공간만 술집의 바가 된 것 같았다.

미쿠는 그 소파에 시도를 앉히더니, 그의 무릎에 앉았다. 마치 공주님 안기 같은 자세를 취한 미쿠는 계속해서 노래를 불렀다.

"———, ——."

그리고 미쿠는 곡조에 맞춰 달콤한 숨결을 토하면서 시도의 볼을 매만지고, 그의 코끝을 손가락으로 톡톡 두드렸다. 그러자 시도는 하하 하고 쓴웃음을 터뜨렸다.

이어서 시도의 양옆과 뒤편에 아름다운 의상을 걸친 여성

백댄서들이 나타났다. 남들이 보기에는 돈을 물 쓰듯 쓰며 여자들에게 빠져 사는 어느 나라의 방탕한 왕자 같아 보일 것이다.

하지만 지금 이 자리에 있는 이들 중 가장 이 상황에 도취되어 있는 이는 미쿠가 틀림없을 것이다. 사랑하는 시도의 무릎 위에서 노래를 부르면서, 아름다운 여성들에게 둘러싸여 있는 것이다. 다음 순간 침대 위에서 눈을 뜨더라도 이상하지 않을, 그야말로 꿈만 같은 시추에이션이었다.

"———."

한층 더 색기를 머금은 목소리로 노래를 부르던 미쿠는—.

마지막으로 시도를 향해 손가락을 들더니, 그의 심장을 향해 총을 쏘는 시늉을 했다.

"Darling— I love you."

그리고 그 말을 입에 담으면서 시도를 향해 윙크를 했다.

"……윽!"

바로 그 순간, 시도는 눈을 동그랗게 뜨더니, 미쿠가 착용한 인터컴에서 팡파르 소리가 흘러나왔다.

"우후후. 달링을 두근거리게 하는 데 성공한 것 같네요."

"그래……. 아무래도 그런 것 같아. 이렇게 정공법에 당하니 좀 분한걸."

시도는 쓴웃음을 지으면서 말했다. 미쿠는 훗 하고 미소를 지으면서 손가락으로 시도의 입술을 만졌다.

"그렇지도 않아요~. 잊었나요? 저는 달링보다 한 살 많다고요. 때로는 저한테 농락당해줘도 괜찮지 않을까요~?"

미쿠가 그렇게 대답하자, 시도는 작게 웃으면서 졌다는 듯이 손을 들었다.

◇

"……아."

조금 떨어진 곳에서 시도와 미쿠를 지켜보고 있던 정령들이 그제야 정신을 차렸다.

"뭐랄까…… 엄청나네."

"으, 음……."

"……그러고 보니 미쿠는 가수였지. 밤늦게까지 잠자지 않는 애들을 잡아가는 요괴 같은 건 줄 알았어."

"나츠미 씨……."

나츠미의 말을 들은 요시노가 쓴웃음을 지었다. 한편, 코토리는 화제를 바꾸려는 것처럼 어험 하고 헛기침을 했다.

"뭐, 아무튼 이걸로 여섯 명이 클리어했네. 이제 두 명 남았어. 다음은—."

"—내가 할게."

코토리가 말을 끝까지 잇기도 전에, 오리가미가 손을 들었다. 그러자 코토리는 약간 불안한 표정을 지었다.

"오리가미…… 응. 딱히 반대하는 건 아니지만 그래도 조심해. 시도가 말하는 『두근』은 여자애의 귀여운 동작이나 언동으로 가슴을 뛰게 만드는 거야. 느닷없이 옷을 벗기려고 하거나, 덮쳐서 두근거리게 만드는 게 아니라구."

"알아."

"그리고 어디까지나 키스를 하는 건 오늘 밤 열두 시야. 시도가 도망치기라도 하면 곤란하니까 억지로 키스하려고 하지 마."

"걱정하지 마."

"그렇다고 키스만 아니면 괜찮다는 생각으로, 키스보다 더한 짓을 하려고 하는 것도 안 돼."

"……."

"왜 방금 그 말을 듣고 입을 다무는 건데?!"

"가벼운 농담이야."

"……으음."

드레스 자락을 휘날리며 돌아선 오리가미는 여전히 걱정 섞인 표정을 짓고 있는 코토리를 내버려 둔 채 시도를 향해 걸음을 옮겼다.

그 도중에 아쉬움을 드러내면서 시도에게서 멀어지는 미쿠와 마주쳤다.

"어머~?"

오리가미를 본 미쿠는 힘내라는 듯이 윙크를 보내면서 손을 흔들었다.

"……."

그리고 미쿠의 옆을 지나는 순간, 오리가미는 바통 터치를 하듯 그녀의 손바닥을 자신의 손바닥으로 가볍게 쳤다. 그러자 미쿠는 좋아죽겠다는 듯이 「꺄아~!」 하고 새된 환성을 지르면서 그 자리에서 몸을 배배 꼬았다.

오리가미는 미쿠의 목소리를 들으면서 걸음을 옮기더니, 느긋하게 소파에 앉아 있는 시도의 곁으로 다가갔다.

"시도."

"아, 오리가미구나. 흐음, 그런 드레스를 입은 오리가미는 처음 보네."

오리가미가 말을 걸자, 턱시도 차림의 시도가 웃음을 흘리면서 대답했다. 좀 지나치게 멋있었다. 시도는 중성적인 이미지가 강하지만, 이렇게 정장을 입으니 평소보다 조금 더 어른스러워 보였다. 그런 그의 모습은 엘레강트하면서도 젠틀했다. 숙녀를 농락하는 음흉한 늑대였다.

오리가미는 무의식적으로 오른손을 자신의 다리를 향해 뻗었다. 옷을 갈아입으면서, 오른발 레그 홀스터에 소형 디지털카메라를 넣어둔 것이다. 물론 이미 전원은 켜뒀다. 오리가미의 기술이라면 순식간에 시도의 지금 모습을 데이터로 남길 수 있으리라.

하지만―.

"……어?"

오리가미는 미간을 찌푸렸다. 다리를 향해 뻗던 손이 갑자기 움직임을 멈춘 것이다.

한순간, 〈라타토스크〉의 기관원, 혹은 자신을 뒤쫓아 온 코토리가 방해를 한 것이라고 생각했지만 그렇지 않았다. 오리가미의 오른 손목을 잡은 것은 바로 그녀 자신의 왼손이었다.

그렇다. 마치, 오리가미의 행동을 저지하려는 것처럼 말이다.

"이건……."

기묘한 현상을 본 오리가미는 미심쩍은 표정을 지었다. 하지만 그 원인은 금방 눈치챘다. 오리가미의 마음속에 존재하는 또 하나의 그녀가 그런 행동을 옳지 않게 생각하며 방해하고 있는 것이다.

마치 오리가미의 머릿속에서 천사와 악마가 말다툼을 벌이고 있는 듯한 느낌이 들었다.

물론 눈에 보이지는 않지만, 오리가미와 같은 얼굴을 지닌 조그마한 천사가 날개를 퍼덕이면서 그녀의 앞에 나타나는 이미지가 머릿속에 떠올랐다.

'턱시도 차림의 시도는 희소가치가 있어. 반드시 사진으로 찍어둬야 해.'

바로 그때, 오리가미와 같은 얼굴을 지닌 악마(이쪽은 머리카락이 길었다)가 나타났다.

'아, 안 돼. 그러다 시도가 질색이라도 하면, 다른 정령들이 지금까지 해온 노력이 전부 물거품이 되고 말 거야!'

'괜찮아. 시도는 상냥해. 이 정도로 질색하지는 않을 거야.'

'그럴지도 모르지만, 문제는 그게 아니라……!'

왠지 천사와 악마의 역할이 뒤바뀐 것 같은 느낌이 들었지만, 아무튼 두 명의 오리가미가 머릿속에서 격렬한 다툼을 벌이고 있었다.

그런 오리가미를 본 시도는 영문을 모르겠다는 듯이 고개를 갸웃거렸다.

"오리가미? 뭐 하고 있는 거야?"

"……아무것도 아냐."

기회를 놓치고 만 오리가미는 손에서 힘을 빼면서 작게 한숨을 내쉬었다.

왼손에서 힘이 빠진 순간, 또 카메라를 향해 오른손을 뻗었다. 하지만 또 막히고 말았다. 역시 자기 자신이 상대라서 그런지 빈틈을 찌르는 것은 불가능했다.

"오리가미……?"

"진짜로 아무것도 아니니까 걱정하지 마."

시도를 향해 그렇게 말한 오리가미는 그의 옆으로 이동했다.

"앉아도 돼?"

"응. 물론이지."

시도는 그렇게 말하면서 자신의 옆자리를 가리켰다. 오리가미는 조신하기 그지없는 동작으로 그 자리에 앉았다. 그리고 시도를 쳐다보면서 잔을 드는 시늉을 했다.

"이왕 이렇게 됐으니, 건배라도 할까?"

"아, 좋은 생각이야."

오리가미의 제안을 들은 시도는 고개를 끄덕이면서 손을 들었다. 그러자 웨이터로 분장한 〈라타토스크〉의 기관원이 재빨리 다가오더니 공손하게 말했다.

"부르셨습니까."

"건배를 하고 싶은데 마실 걸 준비해주지 않겠어요? 오리가미는 뭐로 할래?"

"돔 페리뇽."

오리가미가 표정 하나 바꾸지 않으면서 그렇게 말하자, 그녀가 착용한 인터컴에서 코토리의 목소리가 흘러나왔다.

『……잠깐만, 그건 술이잖아! ……하아, 샤메리나 마셔.』

샤메리는 샴페인과 비슷한 무알코올 탄산음료다. 그 말은 인터컴을 통해 웨이터에게도 전달된 것 같았다. 코토리가 고개를 내저으면서 지시를 내리자 「알겠습니다」 라고 말하면서 어딘가로 향했다.

그리고 잠시 후, 샤메리와 와인 잔이 놓인 은제 쟁반을 들고 돌아왔다.

"드시죠."

웨이터가 테이블에 잔을 놓은 후, 샤메리를 따르면서 말했다. 잔 안에서 거품을 뿜고 있는 그 액체는 샹들리에의 불빛을 받아 불가사의한 색채를 뿜고 있는 것처럼 보였다.

"그럼, 오리가미."

시도가 잔을 쥐기 위해 손을 뻗었다.

"아, 시도. 저건 뭐야?"

하지만 오리가미는 그 동작을 중단시키려는 것처럼 앞쪽을 손가락으로 가리켰다.

"응? 뭐 말이야?"

"저거. 좀 더 위쪽에 있어."

오리가미는 그렇게 말하면서 오른손을 품속에 넣었다. 그리고 거기에 숨겨뒀던 약봉지를 꺼내더니, 눈에 보이지 않는 속도로 그 안에 든 약을 시도의 잔에 넣으려 했다.

하지만 바로 그때, 아까와 마찬가지로 오리가미의 머릿속에 천사와 악마가 나타났다. 왼손이 약봉지의 끝부분을 잡더니, 오른손의 움직임을 막았다.

'봐. 이건 찬스야. 이것만 먹이면 이 자리에서 어른의 키스도 가능해.'

'진정하라구! 억지로 키스하면 안 된다고 아까 코토리 양도 말했었잖아!'

'물론 기억해. 그 말을 어길 생각은 없어.'

'그러면—.'

'시도가 나한테 어른의 키스를 하는 건 세이프야.'

'이거 대체 무슨 약이야아아아아아앗?!'

악마가 고함을 지른 순간, 왼손이 더욱 격렬하게 저항했다. 약을 감싼 얇은 포장지가 양손에 들어간 힘 때문에 찢어지더니, 새하얀 분말을 주위에 흩뿌렸다.

"크윽—."

"오리가미, 어떻게 된 거야? 아무것도 없는 것 같은데?"

"……잘못 본 것 같아."

오리가미가 어금니를 깨물며 그렇게 말하자, 시도는 영문을 모르겠다는 표정을 지으며 그녀를 쳐다보았다.

"별일도 다 있네. ……뭐, 좋아. 아무튼 건배하자."

"……."

오리가미는 고개를 끄덕인 후, 시도와 함께 잔을 들었다.

"건배."

"건배."

그리고 잔끼리 키스를 시키자, 맑은 소리가 났다.

오리가미는 잔 가장자리에 입을 대더니, 샴메리를 한 모금 마셨다. 탄산이 자아내는 기분 좋은 자극이 목을 타고 흘러들어갔다.

시도와 건배를 한 후, 마신다. 그러자 애들이나 좋아하는 이 음료수가 지고의 감로(甘露)로 바뀌었다.

하지만 예정이 크게 어긋나고 말았다는 점은 부정할 수 없었다. 아까 그 약을 탄 음료를 시도가 마셨다면, 몇 분도 채 지나지 않아 보름달 밤의 늑대 인간으로 변해 육욕에 휩싸인 상태로 오리가미의 육체를 갈구했을 텐데…… 하찌만 아쒸워애뺐자 아무 쏘용없다. 아무튼 따음…….

"……."

시야가 흔들리는 듯한 기묘한 감각을 느낀 오리가미는 시도에게 기댔다.

"어? 오리가미, 왜 그래?"

"……쬐끔…… 취한 것…… 가타……."

"어이 어이, 샨메리 마시고 취한 거야?"

시도는 쓴웃음을 지었다. 오리가미가 마신 것은 무알코올 음료다. 취할 리가 없다. 뭔가 이상한 것이라도 들어가지 않는 한—.

"……."

바로 그때, 오리가미는 떠올렸다. 건배 직전, 비장의 약이 흩뿌려졌다는 사실을 말이다.

어쩌면 그때 오리가미의 잔에 약이 조금 들어갔던 걸지도 모른다.

—큰일 났다. 진짜로 큰일 났다. 시도를 반하게 만들어야 하는데, 이 상태로는…….

"……**이츠카 꾸운**……."

의식이 멍해진 오리가미는 자신의 입에서 흘러나오는 말을 듣고 있었다.

"응? 오리가미, 갑자기 왜 그래?"

"이츠카 군도…… 이츠카 군이야……. 왜 이렇게 멋진 거야? 이래서야…… 나 말고 다른 사람도 사진 찍고 싶어 할 거라구……."

"오리가미? 무슨 소리를 하는 거야……?"

시도가 영문을 모르겠다는 목소리로 그렇게 말했지만, 오리가미는 이러지도 저러지도 못했다. 마치 둑이 터진 댐처럼 마음속의 말들이 차례차례 그녀의 입 밖으로 터져 나왔다.

"……이츠카 군을 생각하면 왠지 마음이 포근해지지만…… 그러면서도 아주 약간 아픈데, 이런 걸 뭐라고 하는 걸까……."

오리가미는 시도에게 기댄 채 말을 이었다.

"이츠카 군……, 좋아해……. 정말 좋아해. 뭘 어떻게 해야 할지 감이 오지 않을 만큼…… 좋아해."

"……오리가미."

시도는 낮은 목소리로 오리가미의 이름을 불렀다.

그 순간, 오른쪽 귀에서 팡파르 같은 소리가 들린 것 같은 느낌이 들었지만, 지금의 오리가미는 그것이 어떤 의미인지 알 수 없었다.

◇

네릴 섬에서 출발한 DEM인더스트리의 수송기는 고도를 유지한 채 순조롭게 비행하고 있었다.

섬에서 출발할 때 정령에게 습격을 받아 긴급 사태에 처하기는 했지만, 그 후로는 별다른 문제가 발생하지 않았다. 이대로 가면 예정 시각에 목적지에 도착할 수 있을 것이다.

조종사인 녹스가 그런 생각을 하고 있을 때, 느닷없이 통신기가 반응을 보였다.

『—여기는 관제실. DF0806, 응답 부탁합니다.』

"그래. 여기는 DF0806."

『경로 변경을 요청 드립니다. E139지점을 우회해주십시오.』

"경로 변경?"

녹스는 그렇게 말하면서 부조종사인 버튼과 고개를 마주했다.

"무슨 일 있는 거야?"

『예정 경로 상에서 〈라타토스크〉의 위저드로 추정되는 적과 메이저스 집행부장님이 전투 중입니다. 큰 문제는 없을 것으로 예상됩니다만, 만일의 사태가 벌어지면 큰일이니까요.』

관제실에서 온 통신을 들은 녹스는 의아한 표정을 지었다.

"전투? 이런 데서?"

『예. 복창을 부탁드립니다.』

녹스는 이런 데서 전투를 벌이고 있는 이유를 물었지만, 관제관은 대답 대신 복창을 요구했다. 융통성이 없는 녀석이었다.

"라져. DF0806은 예정 경로를 변경, E139지점을 우회해서 목적지로 향하겠다."

녹스가 대답하자, 관제관은 『그럼 이만』 이라고 말하면서 통신을 끊었다.

"……들었지? 경로를 변경하자고."

"라져. ……그런데 엄청 신중하네요. 위저드들이 전투를 벌이고 있다고 해도, 이렇게 높은 고도에서 싸우고 있을 리가 없잖아요. 역시 짐이 특별하기 때문일까요?"

버튼은 어깨를 으쓱하면서 말했다.

그의 말도 이해가 되지 않는 것은 아니지만, 녹스는 조용히 고개를 저었다.

"뭐, 그게 가장 큰 이유겠지만…… 그것만은 아닐 거야. 지금 전투 중인 건 메이저스라잖아. 평범한 위저드가 싸우고 있다면 몰라도 그 누님이라면 이야기가 다르다고. 어영부영 하늘을 날다간 아래쪽에서 날아온 공격에 꿰뚫릴지도 몰라."

"서, 설마요……."

버튼이 식은땀을 흘리면서 그렇게 말한 순간이었다.

느닷없이 콕피트의 계기판이 비정상적인 수치를 표시하면서 알람이 울리기 시작했다.

그 뒤를 이어 뭔가와 충돌하기라도 한 것처럼 수송기가 격렬하게 진동했다.

"윽! 뭐…… 뭐야?!"

"서, 설마, 메이저스 집행부장님의 공격이……?!"

"멍청아. 이렇게 먼 곳까지 날아올 리가 없다고! 그 이전에 이건…… 위저드가 아냐. 영력 반응이다!"

"예……?!"

녹스의 말을 들은 버튼의 얼굴이 새파랗게 질렸다.

"〈나이트메어〉가 쫓아온 걸까요……?!"

"아냐……. 아까 전의 녀석과는 반응이 달라. 게다가 이건……?!"

녹스는 숨을 삼키면서 뒤편을 돌아보았다.

녹스의 뒤편에는 그가 방금까지 등을 맡기고 있었던 좌석, 그리고 조종실 벽밖에 없었다.

하지만 그 벽 너머에 있는 화물실 안에는 몇 겹의 봉인 처리가 된 『자재A』가 있었다.

버튼도 눈치챈 것 같았다. 아까 전의 진동이 외부로부터의 충격이 아니라, 기내에서 발생한 것이라는 사실을 말이다.

"설마—?! 마, 말도 안 돼요! 『자재A』는 완전히 휴면 상태에 들어갔다면서요……!"

"나도 그렇게 알고 있어. 하지만 이건……."

말을 잇던 녹스는 계기판에 표시된 비정상적인 수치를 보고 말을 멈췄다.

현재 영파 반응은 두 개가 관측되고 있었다.

하나는 이 수송기 안에서, 그리고 다른 하나는— 아까 관제실에서 우회하라고 지시한 포인트에서 관측되고 있었다.

그리고 그 두 영파 반응은 마치 공명하는 듯한 반응을 보이고 있었다.

◇

"……좋았어!"

조금 떨어진 곳에서 시도와 오리가미를 지켜보던 코토리는 주먹을 쥐며 기뻐했다.

"한때는 어떻게 되나 걱정했지만, 전화위복이 됐네. 평소처럼 말도 안 되는 방식으로 어프로치하지 않고, 스트레이트하게 호의를 표현한 게 갭을 만들어낸 것 같아."

코토리는 해설하듯 말을 이으면서 팔짱을 끼더니 고개를 끄덕였다. 참고로 오리가미는 그 후 곧 의식을 차리더니 아무 일도 없었다는 듯이 시도에게 노골적인 어프로치를 했기에, 기관원들에게 명령을 내려 강제로 퇴각시켰다.

"이걸로 일곱 명이야. 하지만 방심할 수는 없어. 한시라도 빨리—."

코토리는 거기까지 말한 후, 갑자기 말을 멈췄다.

—아마 눈치챈 것이리라. 옆에서 코토리와 마찬가지로 시도를 살펴보던 토카가 왠지 복잡한 표정을 짓고 있다는 사실을 말이다.

"토카? 왜 그래?"

"……윽!"

토카는 코토리의 목소리를 듣고 어깨를 부르르 떨었다.

"음…… 그게, 뭐랄까…… 방금 오리가미가 시도에게 좋아한다고 말한 순간, 왠지 이 언저리가 옥죄어 드는 것 같아서 말이다……."

토카는 그렇게 말하면서 가슴 언저리를 움켜잡았다.

"시도를 한시라도 빨리 구해야 한다는 것은 알고 있다. 이런 걸 신경 쓸 여유는 없지. 하지만……."

토카는 당혹스럽다는 듯이 머리를 쥐어뜯었다.

"알기 때문에…… 알 수가 없구나. 왜 나는 이런 기분을 맛보고 있는 것이지? 한시라도 빨리 시도를 구해야만 하는데, 왜 이런 잡념이 머릿속에서 사라지지 않는 것이냔 말이다."

"토카……."

코토리는 후우 하고 숨을 내쉰 후, 토카의 머리를 살며시 쓰다듬었다.

"……미안해. 지금은 참아줘. 하지만 그 마음은 잡념 같은 게 아냐. 지극히 올바르고 귀중할 뿐만 아니라, 소중한 거야."

"정말이냐?"

"응. 그리고 아마 우리 모두가 크기에 차이는 있겠지만 그 마음을 지니고 있어. 그래서 시도를 구하고 싶다고 생각하는 거야."

"으음…… 그런 것이냐."

이해가 될 것 같으면서도 이해가 되지 않았다. 하지만 토카는 고개를 끄덕였다.

『그것』이 시도를 구하고 싶다는 마음과 이어져 있다는 것만큼은 불가사의하게도 이해가 되었기 때문이다.

그런 토카를 보고 안심한 것일까, 코토리는 「좋아」 라고 말하면서 그녀의 등을 두드렸다.

"자. 마지막은 토카, 너야. 준비는 됐어?"

"……음! 맡겨만 다오!"

토카가 힘차게 대답한 후, 시도가 앉아 있는 소파를 향해 걸음을 옮겼다.

하지만 익숙하지 않은 드레스와 익숙하지 않은 구두를 신은 탓에 발이 얽혀서 넘어지고 말았다.

"으윽!"

"토카?! 괜찮아?!"

"음…… 괜찮다!"

토카는 손을 내저으면서 대답한 후, 세게 부딪힌 얼굴을 손으로 매만지면서 몸을 일으켰다. 그리고 이번에는 조금 차분한 걸음걸이로 시도를 향해 걸었다.

하지만 토카는 바로 시도에게 다가가지 않고, 다른 곳에 잠시 들렀다.

홀 벽 쪽에 놓인 긴 테이블에는 보고만 있어도 즐거워질 만큼 맛있어 보이는 먹을거리들이 산더미처럼 놓여 있었다.

"오오…… 정말 엄청나구나!"

게다가 이 요리는 얼마든지 가져다 먹어도 된다고 한다. 토카는 눈을 반짝이면서 가장 커다란 접시를 두 개 준비하더니, 그 위에 맛있어 보이는 음식을 잔뜩 담기 시작했다.

바로 그때, 코토리의 목소리가 인터컴 너머로 들렸다.

『토카, 뭐 하고 있는 거야? 식사도 좋지만, 지금은 시도를…….』

"음, 알고 있으니 걱정하지 마라."

토카는 그렇게 대답한 후, 음식이 산더미처럼 놓인 접시 두 개를 들고 시도를 향해 걸어갔다.

그리고 소파 앞에 놓인 테이블 위에 음식으로 된 산을 두 개 만들었다.

"아, 토카— 우와, 엄청나네."

시도는 그것을 보고 눈을 크게 떴다. 토카는 "음!" 하고 말하면서 가슴을 폈다.

"시도는 오늘 아침부터 아무것도 먹지 않았지? 분명 배가 고플 거라고 생각했다. 그래서—."

토카가 말을 이으려고 한 순간, 그녀의 배에서 꼬르륵…… 하는 소리가 흘러나왔다.

"으음……."

의도하지 않았는데도 뱃속 벌레가 절묘한 타이밍에 울음을 터뜨리자, 토카는 무심코 볼을 붉혔다.

그 소리를 들은 시도는 깜짝 놀란 표정을 지은 후, 더는 못 참겠다는 듯이 웃음을 터뜨렸다.

"후…… 하하, 아하하하."

"으, 으음…… 오해하지 마라. 나도 배가 고프기는 하지만, 그것만이 아니라……."

"후, 후후후……. 응. 알아. 고마워, 토카."

시도는 눈가에 맺힌 눈물을 닦는 시늉을 하면서 말했다. 그리고 자신의 옆자리를 손바닥으로 두드렸다.

"실은 나도 토카 못지않게 배가 고파. 토카가 모처럼 나를 생각해서 챙겨 온 음식이니까 같이 먹자."

"……음!"

토카는 고개를 끄덕인 후, 시도의 옆자리에 앉았다.

"그럼, 잘 먹겠습니다."

"음. 잘 먹겠— 앗! 잠깐만 기다려라, 시도!"

"음? 토카, 왜 그래?"

토카가 갑자기 고함을 지르자, 시도는 고개를 갸웃거렸다.

토카는 포크를 손에 쥐더니, 로스트비프를 찍어서 시도를 향해 내밀었다.

"자아, 시도. 아~ 해보거라."

"어이 어이, 오늘 서비스가 만점이잖아. 그럼 호의를 감사히 받아들이도록 할까."

시도는 입을 크게 벌리더니, 토카가 내민 로스트비프를 입에 넣었다.

"어떠하냐?! 맛있느냐?!"

"으음…… 응, 맛있어. 요리 자체는 물론이고, 토카가 먹여준 덕분에 두 배는 더 맛있는 것 같아."

"음? 그, 그러하냐? 왠지 부끄럽구나."

토카는 멋쩍은 미소를 지으면서 포크에 음식을 꽂았다. 하지만 시도가 토카를 제지했다.

"잠깐만. 이번에는 내 차례야. 자, 아~."

시도는 그렇게 말하더니, 아까 전의 토카와 마찬가지로 로스트비프를 내밀었다.

"오오! 그럼 잘 먹겠다. 아~."

토카는 그렇게 말하더니 눈을 감으면서 시도의 포크를 기다리듯 크게 입을 벌렸다.

하지만—.

“음……?”

토카는 미간을 살짝 찌푸렸다. 몇 초를 기다려도 토카의 입안에는 음식이 들어오지 않았고— 그 대신, 땡그랑 하고 테이블에 뭔가가 떨어지는 소리가 들렸던 것이다.

그 뒤를 이어, 오른쪽 귀에 꽂은 인터컴에서 코토리의 초조한 목소리가 흘러나왔다.

『토카! 눈을 떠!』

“음……?”

토카는 그 말을 듣고 눈을 떴다.

그와 동시에, 그녀는 숨을 삼켰다.

몇 초 전까지만 해도 눈앞에 있었던 시도가 없어진 것이다.

하지만 토카는 곧 눈치챘다. 시도는 사라진 것이 아니라 가슴을 움켜쥐면서 토카의 발치에 주저앉아 있었던 것이다.

“시, 시도! 괜찮으냐?! 대체 뭐가 어떻게 된 것이냐?!”

“크윽. 아, 아, 아아아아아아아아아아앗!”

토카가 허둥지둥 시도에게 말을 건 순간이었다. 시도가 고통에 찬 목소리를 내는가 싶더니, 그의 몸에서 빛이 뿜어져 나오면서 엄청난 충격파가 발생했다.

“크……?!”

갑작스럽게 발생한 일이라 몸에 힘을 주지 못한 토카는 그대로 튕겨져 날아갔다. 그녀는 몇 미터 뒤편까지 데굴데

굴 굴러간 후, 테이블에 부딪히고 나서야 겨우 멈췄다.

"토카! 괜찮아?!"

"음…… 아아, 코토리냐. 나는 괜찮다. 그것보다 시도는 어떻게 됐지?!"

토카는 욱신거리는 머리를 문지르면서 고개를 들었다.

그러자 농밀한 영력을 두른 채 공중에 떠 있는 시도의 모습이 눈에 들어왔다. 그는 턱시도 차림에서 원래의 교복 차림으로 돌아와 있었다. 아마 변신 능력이 해제된 것이리라.

"시도!"

토카가 고함을 질렀지만 대답이 없었다. 잠들어버린 것은 아니지만 얼굴에는 아무런 표정도 존재하지 않았고, 그의 시선은 멍하니 허공을 응시하고 있었다.

"코토리, 시도가 대체 어떻게 된 것이냐!"

"나도 몰라……! 타임 리미트가 되려면 아직 멀었는데……!"

토카와 코토리가 비명에 가까운 목소리로 대화를 나누고 있을 때, 공중에 떠 있는 시도에게 변화가 일어났다.

시도의 주위에 어린 영력 덩어리가 한층 더 빛나기 시작하더니, 그 빛이 시설 전체를 감싸듯 퍼져 나갔다.

"시도—."

토카가 말을 끝까지 잇기도 전에—.

시도에게서 뿜어져 나온 빛의 선이, 파티 홀의 천장을 꿰뚫었다.

# 제5장 정령의 무도

하늘에서 두 자루의 검이 찬란히 빛나고 있었다.

하나는 엘렌이 휘두르고 있는 고출력 레이저 블레이드 〈칼라드볼그〉. 그리고 다른 하나는 그 검과 맞부딪치고 있는 마나의 무장, 〈바나르간드〉의 〈볼프테일〉이었다.

상단, 하단, 횡베기. 엘렌은 마나가 날린 공격을 정확하게 받아낸 후, 그 틈을 가르듯 〈칼라드볼그〉로 빛의 궤적을 그렸다. 몇 번째인지도 기억이 나지 않는 공격을 종이 한 장 차이로 피한 마나는 엘렌이 두 번째 공격을 날리기 전에 반격을 펼쳤다.

"하앗—!"

마력으로 칼날을 형성하는 레이저 블레이드 타입인 〈칼라드볼그〉에 비해, 검의 표면을 마력으로 뒤덮는 타입인 〈볼프테일〉은 구조상 최대 출력치— 즉, 한 방 한 방의 위력이 떨어졌다.

하지만 그 만큼 마력 소비량이 적기 때문에 장시간 사용할 수 있으며, 테크니컬한 운용에 좋다는 장점이 있었다. 어차피 순수한 마력 출력량에서 엘렌에게 이길 수 있는 인간은 이 세상에 존재하지 않는다. 그렇다면 단순한 힘겨루기가 아니라, 공격 횟수와 기술로 교란하는 것이 그녀를 상대하기 위한 최선책이다. 엘렌에게 쉴 틈을 주지 않으면서, 눈에 보이지 않는 속도로 공격을 퍼붓는 것이다.

하지만 상대는 최강의 위저드다. 간단히 쓰러질 리가 없다. 엘렌은 마나의 공격을 정확하게 막고, 튕겨내고, 받아냈다. 엘렌의 방어에 존재하는 틈을 노리며 날린 공격조차도 그녀의 견고하기 그지없는 테리터리에 막히고 말았다. 그 탓에 마나는 아직도 엘렌의 몸에 생채기 하나 내지 못했다.

하지만 마나의 목적은 지금 이 자리에서 엘렌을 쓰러뜨리는 것이 아니라, 코토리 일행이 시도를 구할 시간을 버는 것이다. 엘렌에게 대미지를 입히기 위해 목숨을 건 공격을 날리는 것은 악수 중의 악수였다. 아슬아슬하게 균형을 유지하면서, 어떻게든 전투를 길게 끌고 갔다.

이 상태로 간다면 마나의 목적대로 시간은 벌 수 있을 것이다. 남은 것은 코토리 일행이 시도를 어떻게 해준다면—.

하지만 바로 그 순간이었다.

마나의 아래쪽에 있는 〈라타토스크〉의 시설이 갑자기 반짝이기 시작하더니, 하늘을 향해 광선을 뿜었다. 그리고 그와 동시에 발생한 강렬한 충격파가 마나의 등에 작렬했다.

"……앗?!"

마나는 무심코 눈을 치켜떴다. 테리터리를 전개하고 있었기에 튕겨나지는 않았지만, 갑작스러운 일이 벌어진 탓에 뒤편에 주의가 쏠렸고— 그 결과, 찰나의 빈틈이 생겼다.

그리고 마나가 상대하고 있는 인물에게 있어 찰나란, 적에게 치명적인 일격을 날리기에 충분한 시간이었다.

"빈틈투성이군요."

"크—."

충격. 어찌어찌 방어하기는 했지만, 그 위력을 완전히 상쇄시키지는 못했다. 마치 스매시를 맞은 공처럼, 마나의 몸은 지상을 향해 떨어졌다.

"으윽……!"

마나는 착지 충격을 테리터리로 줄이면서 지면에 도달했다. 보이지 않는 구체가 작렬한 것처럼 지면이 파였다.

"크, 꽤 해버리잖아요. ……그건 그렇고, 방금 그건……."

마나는 상공을 경계하면서 재빨리 주위를 살폈다. 그리고 그녀는 작게 숨을 삼켰다.

그러는 것도 무리는 아니었다. 지면에 내동댕이쳐진 마나의 바로 옆에, 영력의 빛을 몸에 두른 채 부유하고 있는 시도가 있었던 것이다.

"오라버니?!"

마나가 경악한 순간, 시도가 천천히 마나를 향해 고개를 돌렸다.

마치 약에 의해 의식이 흐릿해진 것처럼 시도는 몽롱한 눈길로 마나를 쳐다보면서 작게 입을 열었다.

"아아— 마나. **무사했구나. 정말 다행이야.**"

그리고 상냥한 목소리로 그렇게 중얼거렸다.

"오라……버니?"

그 말을 들은 마나는 묘한 위화감을 느끼면서 미간을 찌푸렸다.

방금 그 말을 액면 그대로 받아들인다면 단순히 마나를 걱정해주는 것처럼 들릴 것이다. 실제로 마나는 엘렌과 싸우다 방금 뼈아픈 일격을 허용하고 말았다.

하지만 왜일까. 시도의 말에는 그 외의 다른 의미가 담겨 있는 듯한 느낌이 강하게 들었다.

무아지경에 이른 듯한 시도의 입에서 말이 흘러나왔다.

"네가 DEM 녀석들에게 잡혀가서…… 정말 걱정했어……. 그래도 다행이야. 정말……."

"……잡혀갔다고요? 오라버니, 대체 무슨 소리를 해버리는 거예요?"

"미오는…… 어디 있어? 그 녀석이 구해준 거 아니었어?"

"그러니까 무슨 소리를 해버리는 거냐고요, 오라버—."

바로 그 순간이었다.

마나는 머리에서 날카로운 통증을 느꼈다. 그녀는 무심코 이마를 억누르면서 인상을 썼다.

"으…… 윽……!"

단순한 두통이 아닌 것은 명백했다. 미오. 시도가 말한 그 이름을 들은 순간, 마나의 머릿속에 한 번도 본 적이 없는 광경이 몇 개나 떠오른 것이다.

"이…… 건……."

찰칵찰칵하고 셔터를 누르는 것처럼, 머릿속에 여러 가지 장면이 떠올랐다. 친구와 놀던 공원. 교실에서 수업을 하는 선생님. 오빠인 시도와 함께 축하했던 생일.

그리고— 머리카락이 긴 소녀의 뒷모습.

"아……."

그 모습이 뇌리에 떠오른 순간, 마나는 시야가 깜빡거리는 느낌을 받았다.

어째서인지 그 소녀의 얼굴을 떠올릴 수가 없었다. 알고 있다. 마나는 그 소녀를 분명 기억하고 있을 텐데…….

하지만 바로 그때, 마나는 생각을 중단했다.

"제 앞에서 딴 생각을 하고 있는 건가요. 제가 그렇게 만만합니까?"

머리 위에서 엘렌의 고압적인 목소리가 들린 것이다.

"……윽! 아차."

정신을 차리고 보니, 엘렌은 마나의 코앞까지 급강하해서 〈칼라드볼그〉를 휘둘렀다.

마나는 허둥지둥 의식을 집중했지만, 이미 늦었다!

"……윽!"

하지만, 그 레이저 블레이드는 마나의 몸을 태우지 못했다.

〈칼라드볼그〉가 마나에게 닿기 직전, 시도를 감싼 영력이 팽창하더니 마력의 칼날을 받아낸 것이다.

"호오……?"

의아함이 섞인 목소리를 내며 엘렌은 무시무시한 눈길로 시도를 노려보았다.

"이츠카 시도. 꽤나 멋진 모습이 되었군요. 흐음, 무슨 일이 있었던 건지는 모르겠지만, 아이크가 당신을 원하는 것도 납득이 됩니다."

엘렌은 그렇게 말하면서 입술 가장자리를 말아 올렸다.

하지만 시도는 그녀와 달리 표정이 한껏 굳었다.

"D—E, M……."

그리고 호흡이 거칠어지더니, 짐승처럼 포효를 질렀다.

"우— 아, 아아아아아아아아아아아아아아아아앗!"

그 순간, 시도를 둘러싼 영력이 더욱 거칠게 소용돌이치면서 근처에 있던 마나와 함께 엘렌을 날려버렸다.

"……윽!"

"앗?!"

마나는 테리터리를 조작해 충격을 중화시키고 그대로 공중에서 정지한 채 고함을 질렀다.

"오라버니! 뭐가 어떻게 된 거죠?! 그리고 방금 그건 대체 — 미오 씨는 대체 누구인가요?!"

하지만, 시도는 아무 말도 하지 않았다. 아까까지만 해도 들리던 목소리 또한 더는 들리지 않았다. 그저 방대한 양의 영력을 방출하면서 흉포한 짐승처럼 낮게 으르렁거리고 있었다.

"큭……."

시도가 현재 정상적인 상태가 아니라는 것은 한눈에 알 수 있었으나, 그래도 가능하다면 그의 이야기를 더 듣고 싶었다.

하지만 마나가 현재 싸우고 있는 이는 자타가 공인하는 인류 최강의 위저드다. 눈곱만큼도 방심해서는 안 되는 상대인 것이다. 마나는 어금니를 깨물면서 시도에게서 시선을 뗐다.

"콜록…… 콜록……. 다, 다들 괜찮아?!"

영력의 빛에 의해 붕괴되버린 파티 홀. 코토리는 자욱하게 피어오른 흙먼지 때문에 기침을 하면서 고함을 질렀다.

그러자 옆에서 귀에 익은 목소리가 들려왔다.

"음…… 괜찮다. 하지만, 대체 뭐가 어떻게 된 것이냐……?"

대자로 쓰러져 있던 토카가 몸을 일으키더니 주위를 두리번거렸다. 그 모습을 본 코토리도 고개를 들었다.

시도가 느닷없이 날린 포격 때문에 천장과 벽면에 커다란 구멍이 생겼지만, 언뜻 보기에 정령들과 〈라타토스크〉의 기관원들은 무사한 것 같았다. 곧 주위에서 목소리가 들려왔다.

"무사한가요~?!"

"……뭐, 뭐가 어떻게 된 거야?"

"코토리 씨!"

하지만 그 안에 뜻밖의 목소리가 섞여 있다는 사실을 눈치챈 코토리는 무심코 눈을 치켜떴다.

"이 목소리는…… 마나?!"

그렇다. 그 사람은 바로 시도의 친동생이라고 자처하고 있는 소녀, 타카미야 마나였다.

그녀만이 아니었다. DEM의 위저드인 엘렌 또한 CR-유닛을 장착한 채 마나와 대치하고 있었다.

"너, 대체 지금까지 어디서 뭐 하고 있었던 거야……?!"

마나는 엘렌에게서 눈을 떼지 않은 채 코토리를 향해 가볍게 손을 흔든 후, 오른손에 장비한 〈볼프테일〉을 전개하면서 외쳤다.

"자세한 이야기는 나중에 해요! 아무튼 지금은…… 오라버니를 부탁해요!"

그리고 마나는 허공을 박차면서 엘렌을 향해 돌진했다. 두 사람은 마력광을 불꽃처럼 튀기면서 밤하늘을 향해 날아올랐다.

아무래도 레이네가 말했던 대항책이 바로 마나인 것 같았다. 거기까지 생각이 미친 코토리는 머리를 거칠게 긁적였다.

"정말 저 애는…… 나한테는 연락처도 가르쳐주지 않고 사라졌으면서……!"

하지만 마나가 엘렌을 막아준 덕분에 살았다. 코토리는 마나의 요청에 응하듯, 다시 시도를 쳐다보았다.

하지만—.

"아……."

그 모습을 본 코토리의 목소리가 무의식적으로 떨렸다.

코토리의 눈에 들어온 이는 평소의 상냥한 시도도, 아까까지의 자신감이 넘치던 시도도 아니었다.

오색의 광채를 뿜으며 군림하고 있는 **그것**은 이제 인간이라고도 부를 수 없는 무언가로 변해버리고 만 것이다.

시도의 몸을 중심으로 소용돌이치고 있는 농밀한 마력이 고동치듯 깜빡이고 있었다. 그리고 그 리듬에 맞춰 희미한 진동이 코토리에게도 전해졌다. 마치 공기가, 지면이, 공간 그 자체가, 시도의 힘에 호응하며 맥박 치고 있는 것만 같았다.

아니, 그것만이 아니었다. 영력의 일부가 찬란히 빛나는 막과 금속 파편 같은 것을 형성하고 있었다. 그것은 정령이 두르는 영장을 연상케 했다.

그리고 코토리가 그 모습을 인식한, 바로 그 순간.

코토리의 귀에, 인터컴을 통해 불길한 알람이 들렸다.

"아—."

그것은 공간진의 전조를 감지했을 때나, 정령의 정신 상태가 나빠졌을 때 들리는 통상적인 알람과는 종류가 달랐다.

코토리는 그 알람을 딱 한 번 들어봤다.

『그런』 종류의 경보가 존재한다는 것을 기억해둬라. 그리고 『이것』을 듣는 날이 오지 않게 하는 것이 최선이다, 라는 말과 함께 테스트 삼아 들어봤던 알람이다.

"거짓……말……."

코토리의 손가락 끝이 경련이라도 일어난 것처럼 떨렸다. 자신이라는 존재에 금이 가고 있는 듯한 착각마저 들었다. 가슴이 격렬하게 뛰면서 숨을 쉴 수가 없었고, 시야가 일그러지면서 제대로 서 있을 수도 없었다.

천사가 부는 종언의 나팔. 결코 들어서는 안 되는 그 소리를 들은 순간, 코토리의 의식은 순식간에 끊어졌다.

"————!"

바로 그때, 시도가 인간의 것으로 들리지 않는 포효를 터뜨렸다. 방전 현상이 일어난 것처럼 영력이 스파크를 일으키며 주위를 밝게 비췄다.

"……아!"

시도는 그대로 두 다리를 굽히더니 지면을 박차면서 뛰어올랐다. 지금 그들이 있는 곳은 지하 시설이지만 가볍게 몸을 날린 시도는 그대로 지상으로 뛰어올라갔다. 그리고 그 직후, 나무들을 산산조각 내면서 어딘가를 향해 이동했다.

"코토리 씨! 뭐 하는 거예요~! 빨리 달링을 쫓아가야죠!"

"……"

미쿠의 말에 반응하듯 고개를 든 코토리는 입을 열려고 했다.

한순간, 입에서 말이 나오지 않았다. 하지만 그것도 무리는 아니었다. 그 말을 입에 담는다는 것은 최악의 결단을 내린다는 것과 같은 뜻이기 때문이다.

하지만 코토리는 말해야만 한다.

이 나라를 위해서.

세계를 위해서.

인류를 위해서.

—그리고 무엇보다, 시도를 위해서.

그것이 〈라타토스크〉 사령관으로서, 5년 전에 시도에게 구원받은 이로서 져야만 하는 책임이었다.

코토리는 목소리의 떨림을 억누르면서 입을 열었다.

"……너희는 여기서 대기하고 있어. 내가 어떻게든 할게."

코토리가 그렇게 말하자, 모두가 깜짝 놀란 눈길로 코토리를 쳐다보았다.

"대기하란 말이냐? 그러지 말고 우리도 돕게 해다오."

"동의. 코토리답지 않아요."

정령들은 코토리의 지시를 순순히 받아들이지 않았다. 하지만 그녀들이 그러는 것도 무리는 아니었다. 코토리도 자초지종을 모르는 상태에서 그런 말을 들었다면 그녀들과 같은 반응을 보였을 것이다.

하지만 그녀들을 데려갈 수는 없다. 코토리는 숨을 들이마신 후, 억지로 밝은 목소리를 내면서 말했다.

"그러니까 시도를 어떻게 하기 위해 너희 보고 여기 남아있으라는 거라구. 나한테 맡겨. 〈라타토스크〉는 이런 사태가 벌어졌을 때를 위한 수단을 준비해뒀어."

정령들은 아직 불안을 느끼고 있는 것 같았지만, 결국 코토리의 말에 따르기로 했는지 고개를 끄덕였다.

"그럼 잘 부탁해요~!"

"힘내……세요……!"

"응."

짤막하게 대답한 코토리는 정령들과 〈라타토스크〉의 기관원들을 그 자리에 남겨둔 채, 계단을 통해 지상으로 올라갔다.

온몸으로 영력을 뿜고 있는 시도는 나무를 파괴하며 어딘가로 향하고 있었다. 이대로 놔뒀다간 이윽고 시가지에 들어서고 말 것이다.

코토리는 시도를 바라보면서 가는 숨을 내쉬었다.

그리고 품속에서 조그마한 단말을 꺼냈다.

—그것은 바로 그녀가 절대 쓰지 않겠다고 맹세했던, 파멸의 열쇠였다.

"……."

코토리는 떨리는 손가락으로 단말을 조작해, 지문 인증과 망막 인증, 그리고 패스워드 인증을 마쳤다. 그리고 손을 앞으로 내밀면서 버튼에 손가락을 얹었다.

그것은, 시도를 조준하고 있는 위성 궤도 병기 〈다인슬레프〉의 기동 버튼이었다.

"……미안해, 오빠."

코토리는 중얼거리듯 그 말을 입에 담았다.

"이런 식으로 막을 내릴 수밖에 없는 나를…… 용서해줘."

하지만 바로 그 순간.

왼편에서 뿜어져 나오는 날카로운 살기를 느낀 코토리는 한순간 의식이 흐트러졌다.

그 뒤를 이어 철컥하는 소리가 들리더니, 코토리의 관자

놀이에 차갑고 단단한 감촉을 지닌 무언가가 닿았다.

코토리는 곧 눈치챘다. ―자신의 관자놀이에, 총구가 닿아 있다는 사실을 말이다.

"……아!"

코토리는 시선만을 움직여 그쪽을 쳐다보았다. 그러자 다른 정령들과 함께 지하에 남아 있을 줄 알았던 오리가미가 눈에 들어왔다.

무시무시한 눈길, 그리고 투박한 9mm 권총 총구를 코토리에게 겨눈 오리가미는 차분한, 그러면서도 뼛속까지 서늘하게 만드는 목소리로 말했다.

"손에 들고 있는 건 뭐야? 대체 시도에게 무슨 짓을 할 생각인 거지? 이츠카 코토리, 너는―."

하지만 오리가미는 도중에 말을 멈췄다. 그리고 어찌 된 영문인지 그녀의 눈썹 끝이 희미하게 떨렸다.

그 이유는 짐작이 되었다. 아마 코토리가 오리가미를 향해 고개를 돌린 순간, 그녀의 얼굴을 보고 말았기 때문이리라.

―눈물과 콧물로 범벅이 된, 차마 쳐다볼 수 없을 만큼 비통한 그녀의 표정을 말이다.

"……설명해. 대체 뭘 할 생각이야?"

오리가미가 미간을 찌푸리면서 말했다.

오리가미는 머리가 좋다. 그러니 적당히 둘러대는 것은 무리다. 하지만 이대로 강행하려고 하면 오리가미가 방해할 것이 뻔했다. 코토리는 체념 섞인 목소리로 말했다.

"……시도를, 죽일 거야."

코토리가 그렇게 말하자, 오리가미는 안 그래도 굳어 있던 표정을 더욱 굳혔다.

"그게 무슨 소리야. 그것도 〈라타토스크〉의 명령이야?"

"……반은 맞고, 반은 틀렸어."

코토리는 자조 섞인 목소리로 말했다.

"……시도는 현재 시한폭탄이나 다름없어. 영력의 팽창을 반복하고 있는 상태지. 이대로 뒀다간 남(南) 간토 대공재를 능가하는 폭발을 일으킬 거야."

"……윽."

오리가미는 어금니를 깨물었다.

"그래서, 죽이는 거야?"

"……응. 그게 『실패』한 나에게 주어진 마지막 임무야. 임계 상태에 도달하기 전에 시도를 죽일 수 있다면 폭발 규모를 줄일 수 있어.

……천만 단위의 인명과 함께 시도가 죽는 것을 지켜볼 것인가, 시도 한 명을 죽일 것인가. 그중 하나를 선택해야 한다면, 나는 후자를 택하겠어. 자기 때문에 수많은 사람들이 죽었다는 걸 알면, 시도는 분명 슬퍼할 테니까."

"……."

오리가미의 손가락이 희미하게 떨렸다. 코토리는 시도를

향해 고개를 돌렸다.

"이 스위치를 누르면 위성 궤도상에 있는 〈다인슬레프〉에서 마력포가 발사돼."

"〈다인슬레프〉……?"

"……시도의 몸을 철저하게 조사한 끝에, 시도를 완벽하게 죽이기 위해 만들어진 저주의 검이야."

그렇다. 그것이 〈다인슬레프〉. 코토리가 아는 한도 내에서 최악의 형태로 리얼라이저를 사용해 만든 병기다. 아무리 시도가 코토리의 힘을 지녔다고 할지라도, 체조직을 완전히 파괴해버린다면 재생할 수 없을 것이다.

"……헛소리하지 마. 이게 〈라타토스크〉의 방식이야?"

오리가미는 죽일 듯한 눈길로 코토리를 노려보면서 말했다.

"봉인한 영력이 균형을 유지하지 못하니 죽이겠다? 애초에 정령의 영력을 시도의 몸에 봉인한 것은 〈라타토스크〉잖아. 자신들의 목적을 위해 시도를 이용해놓고, 상황이 여의치 않으니 처리해버리는 거야? 너는 그렇게 시도를 아끼면서, 왜 그런 명령에 따르려고—."

"그런 게 아냐!"

오리가미의 말을 막듯, 코토리는 고함을 질렀다.

"확실히 〈라타토스크〉의 목적과, 시도의 능력은 기적적일 만큼 잘 맞물리고 있어. 하지만 적어도 우드먼 의장님은 시도를 걱정해주셨어. 인간의 몸에 정령의 힘을 봉인한다는 행위가 우리 생각대로 잘 풀리기만 할 리가 없다. 만약 리스크가 있다면 다른 수단을 찾아보자고 하셨어.

하지만…… 늦었어. 〈라타토스크〉가 시도라는 존재를 안 시점에서, 이미 그의 몸에는 정령 한 명의 영력이 봉인되어 있었던 거야."

"그건, 설마……."

"그래. 내 영력이야."

코토리는 떨리는 목소리로 말했다.

그것은 피할 수 없는 모순이었다. 그것도 그럴 것이 〈라타토스크〉는 코토리의 영력을 봉인했다는 사실을 통해, 시도의 존재를 알았으니까 말이다.

"시도는 5년 전 그날부터, 이 임계 상태에 처할 가능성을 지니고 있었어. 게다가 영력을 정령에게 되돌리더라도 한 번 연결된 파이프는 완전히 사라지지 않아. ……의도했던 것은 아닐지라도 바로 내가 5년 전에 시도에게 엄청난 폭탄을 떠맡기고 만 거야."

"……그렇다고 할지라도, 더 많은 영력을 봉인한 탓에 임계에 처할 리스크가 커진 것 아냐?"

"……어쩔 수 없어. 시도를 완전히 안정시킬 방법은…… 하나뿐이었거든."

"그게 뭔데?"

오리가미는 물었다. 코토리는 시도에게서 눈을 떼지 않은 채 말을 이었다.

"시도 자신이 자신의 몸 안에 있는 영력을 영결정(靈結晶)[세피라]으로 만들어 몸 밖으로 배출하는 거야."

"……읏! 그건—."

세피라. 그것은 정체불명의 정령 ⟨팬텀⟩이 가진, 보석 같은 형태를 지닌 영력의 결정이다. 오리가미 또한 그 힘에 의해 인간에서 정령이 된 것이다.

"확실히, 그 방법이라면……. 하지만, 그런 게……."

"……응. 우리가 완전히 힘을 휘두를 수 있는 상태가 되어도 그건 불가능해. ⟨라타토스크⟩가 나를 몇 번이나 조사했지만, 한 번 영자 레벨에서 결합된 세피라를 배출하기 위해서는 믿기지 않을 만큼 많은 영력이 필요해. 그야말로 현재 확인된 모든 정령의 힘을, 시도의 몸 안에 봉인해야 할 정도로 말이야."

"……읏."

오리가미는 깜짝 놀랐는지 눈을 치켜떴다.

그 반응을 보아하니, 오리가미는 꽤나 ⟨라타토스크⟩에 대한 의심을 품고 있었던 것 같았다.

그녀의 심경도 이해가 되지 않는 것은 아니었다. 실제로 코토리 또한 ⟨라타토스크⟩를 전폭적으로 신뢰하고 있지는 않았던 것이다.

"하지만 이제 와서 이런 소리를 해봤자 아무 소용없어."

더는 이런 소리를 하고 있을 여유가 없다. 코토리는 숨을 들이마신 후, 버튼 위에 놓인 손가락에 힘을 주려고 했다.

하지만, 바로 그 순간—.

"코토리! 오리가미!"

등 뒤에서 토카의 목소리가 들렸다. 고개를 돌려보니 모든 정령들이 모여 있었다. 아무래도 오리가미와 마찬가지로 코토리를 뒤쫓아 온 것 같았다.

"다들—."

"너무하구나, 코토리! 왜 그런 사정을 우리에게 이야기해 주지 않은 것이냐!"

토카가 용기에 찬 눈길로 코토리를 바라보면서 말했다. 모든 것을 알고 있는 듯한 그녀의 말투 때문에 코토리는 눈을 동그랗게 떴지만, 곧 자신과 정령들이 인터컴을 착용하고 있다는 사실을 떠올렸다. 아까 코토리가 했던 것처럼 채널을 맞추면 인터컴 간의 대화도 가능했다. 아무래도 그녀들은 코토리와 오리가미가 나눈 대화를 전부 들은 것 같았다.

코토리도 그 기능을 알고 있었지만, 위기 사태가 발생한 탓에 거기까지 생각이 미치지 않았다.

"……다들, 미안해. 하지만 이제 끝났어. 전부 다—."

"아직 아무것도 끝나지 않았다!"

토카는 코토리의 약한 소리를 지워버리려는 것처럼 고함을 질렀다.

"자세한 것은 모른다. 하지만 만약 그것이 절망적인 상황일지라도, 그것은 코토리가 혼자였을 때의 이야기다!"

"……아!"

토카의 말을 들은 순간, 코토리는 심장이 옥죄어드는 느낌을 받았다.

"다, 들……."

정령들이 코토리의 눈을 쳐다보면서 고개를 끄덕였다.

마치, 코토리를 질책하듯이 말이다.

"포기 같은 건 코토리 양에게 어울리지 않아요~!"

"그래요……. 우리, 시도 씨를 꼭 구해요……!"

"……."

버튼에 댄 손가락이 떨렸다. 이 단말을 받았을 때의 광경이 머릿속에 떠올랐다.

그때는 무서워서 견딜 수가 없었다. 만일의 사태에 대비하기 위한 것이라고는 해도, 시도를 죽이기 위한 수단이 수중에 있다는 사실 때문에 며칠 동안 밤에 잠을 잘 수도 없었다.

아아, 하지만—.

그때의 코토리와 지금의 코토리는 달랐다. 각오, 경험, 그리고 무엇보다— 한마음 한뜻인 동료가 있었다.

—그렇다면, 그때와 같은 결론을 내릴 필요는 없다.

코토리가 쥐고 있던 단말이, 땅에 떨어졌다.

◇

『왜지?! 대체 왜 이츠카 사령관은 쏘지 않는 것이냐?!』

어둑어둑한 회의실 안에서 울려 퍼진 것은 그런 초조함이 섞인 고함이었다.

하지만 그 목소리의 주인이 실제로 이 자리에 있는 것은 아니었다. 방 중심에 놓인 원탁 앞에 앉은 것처럼 투영된 입체 영상 중 하나가 분노와 초조를 드러내면서 언성을 높이고 있었던 것이다.

지금 이 자리에 있는 다섯 명 중 실제 인간은 두 명뿐이다. 원탁 앞에 앉은 백발의 남성— 엘리엇 우드먼과 그의 등 뒤에 서 있는 안경을 쓴 여성, 카렌 메이저스뿐이었다. 다른 남성들은 방금 고함을 지른 이를 포함해 세계 각지에 존재하는 〈라타토스크〉의 지부에서 회선을 통해 회의에 참가하고 있었다.

『쏴라! 쏘란 말이다, 이츠카 사령관!』

"……."

—롤랜드 클레이튼. 무턱대고 짖는 버릇이 있는 불도그를 연상케 하는 초로의 남성이었다.

그의 행동은 원탁회의의 간부에 어울리지 않는다고 할 수 있지만…… 클레이튼이 저러는 것도 이해는 되었다. 원탁 중앙에 놓인 모니터에는 〈라타토스크〉에게 있어 최악의 상황이 비춰지고 있었으니까 말이다.

숲 안에서 엄청난 영력을 방출하고 있는 소년의 모습이 확인되었다. 영력 수치는 지금도 상승되고 있으며, 이대로 있다간 30년 전의 참극이 반복될지도 모른다. 사실 언성을 높이지 않을 뿐, 다른 두 사람도 클레이튼과 비슷한 표정을 짓고 있었다.

『우드먼 경.』

바로 그때, 침묵하고 있던 두 사람 중 한 명, 블레이저 더글러스가 땀을 흘리면서 입을 열었다. 비쩍 마른 몸과 외눈 안경이 인상적인 고양이 같은 인상의 남성이었다.

『이대로 있다간 진짜로 대규모 공간진이 발생할 겁니다. 〈다인슬레프〉의 발동 권한을 이츠카 사령관에게만 준 이유는 뭡니까?』

그 말에 동조하듯 카툰에 나오는 개구쟁이 고양이 같은 분위기를 지닌 남성이 고개를 끄덕였다. 원탁회의 최후의 1인인 길리언 옴스테드였다.

『그렇습니다. 아무리 우수하다고 해도 그녀는 아직 주니어 하이스쿨에 다니는 학생입니다. 오빠가 이런 국면에 처했을 때, 올바른 판단을 내릴 수 있을 거라고 생각합니까?』

"……."

—자네들에게 발동 권한을 준다면, 주저 없이 그것을 사용할 게 뻔하기 때문이다.

우드먼은 아무 말 없이 마음속으로 중얼거렸다.

정령을 구하기 위한 조직 〈라타토스크〉. 하지만 마음속으로 그 이념에 찬동하며 행동하고 있는 이는 우드먼을 중심으로 한 파벌뿐이다. 다른 멤버들은 정도의 차이는 있지만, 나름의 이익이 존재하기 때문에 참가하고 있는 것에 지나지 않았다.

자신의 이익만을 최우선적으로 생각한다. 우드먼은 그런 행동을 부정할 생각은 없었다. 그편이 인간에게 있어 올바른 행동이기 때문이다.

하지만 그 점은 리스크가 리턴을 상회했을 경우, 그들이 정령들을 주저 없이 잘라버릴 수 있는 가능성을 시사하고 있었다.

그렇기 때문에 우드먼은 코토리만이 〈다인슬레프〉의 열쇠를 맡기기에 적합한 사람이라고 판단했다.

—그것이 코토리에게, 사랑해 마지않는 오빠를 죽이는 역할을 맡기는 행위일지라도 말이다.

"다들 진정하게."

우드먼은 원탁을 둘러보면서 차분한 목소리로 말했다.

"확실히 지금 일어나고 있는 일은 우리에게 있어 최악의 사태일지도 모르지. 하지만, 아직 완전히 결판이 난 것은 아니라네."

우드먼의 말을 들은 더글러스와 옴스테드는 의아한, 그리고 클레이트은 분노에 찬 표정을 지었다.

『이 상황에서 무슨 소리를 하는 겁니까, 우드먼 경! 이 상황이 호전될 가능성이 존재한다고 생각하는 겁니까?!』

"글쎄. 하지만 이츠카 사령관이 포기하지 않은 이상, 나도 포기할 수는 없지."

우드먼이 날카로운 눈빛을 띠면서 그렇게 말하자, 세 사람은 불복의 뜻이 어린 표정을 지었다.

그들의 마음이 이해가 되지 않는 것은 아니었다. 우드먼의 주장은 남들이 보기에는 단순한 응석으로 보일 것이다.

하지만 우드먼은 아직 이츠카 시도가 정신을 차릴 가능성이 있다고 확신하고 있었다. 문제가 하나 있다면— 지금 눈앞에 있는 세 사람이 그 『가능성』에 대한 이유를 설명하기에 적합한 상대가 아니라는 점이다.

그렇다면 자신이 할 수 있는 일은, 코토리에게 조금이라도 더 시간을 만들어주는 것이다. 우드먼은 교섭을 제안하듯 말을 이었다.

"으음……, 내가 무리한 소리를 하고 있다는 건 아네. 그러니 이렇게 하지. 지금부터 내가 보유한 아스가르드 일렉트로닉스의 주식을 1분에 1퍼센트씩 자네들에게 양도하겠네."

『『『뭐……?!』』』

세 사람은 우드먼의 말을 듣고 경악했다.

그것도 무리는 아니었다. DEM을 제외하면 이 세계에서 유일하게 리얼라이저를 제조할 수 있는 아스가르드 일렉트로닉스 사는 〈라타토스크〉가 지닌 기술의 중심이자, 우드먼의 생명선이었다. 세 사람에게 이것은 군침 도는 제안일 것이다.

하지만 그들은 바로 대답하지 않았다. 너무 매력적인 제안이기에 불신감을 느낀 것이다.

우드먼은 마음속으로 웃었다. ―이걸로 됐다. 그들이 고민하면 할수록, 코토리에게 시간을 줄 수 있을 것이다.

하지만 세 사람의 생각을 중단시키듯, 화면에 표시된 영력 수치가 또 상승하더니, 격렬한 알람이 울려 퍼졌다.

『……큭!』

클레이튼이 숨을 삼켰다.

『……역시 안 돼! 파이프를 넓히는 것이 불가능한 이상, 영력의 폭주를 멈출 수는 없어! 이제 우리가 할 수 있는 건 한시라도 빨리 그의 숨통을 끊는 겁니다!』

입체 영상인 클레이튼이 그렇게 외치더니, 품속에서 소형 단말을 꺼냈다.

"……윽! 클레이튼, 그건……."

그것을 본 우드먼은 숨을 삼켰다.

그것도 그럴 것이, 클레이튼이 꺼낸 것은 코토리와 우드먼만이 가지고 있는 〈다인슬레프〉의 기동 키였던 것이다.

"클레이튼, 그걸 자네가 어떻게……."

『유비무환……이라는 말은 동양의 속담이던가요? 빠져나갈 길은 어디에나 존재한다는 겁니다.』

"바보 같은 짓은 관두—."

우드먼의 말을 무시한 클레이튼은 한 치의 주저도 없이 버튼을 눌렀다.

◇

"……."

코토리는 손등으로 눈물을 닦은 후, 코를 훌쩍였다.

"……얼마든지 비웃어. 그렇게 잘난 척해놓고 이렇게 중요한 순간에 한심한 꼴이나 보이다니, 정말 사령관 실격이야."

코토리는 자조 섞인 목소리로 말했다. 하지만 오리가미는 천천히 고개를 저었다.

"그렇지 않아. 네가 시도의 여동생이라 정말 다행이야."

"오리가미……."

"아직 방법이 있을 거야. 포기하지 마."

오리가미가 그렇게 말하자, 정령들도 코토리에게 용기를 북돋아주려는 것처럼 고개를 끄덕였다.

"그래. 우리에게 불가능이란 존재하지 않느니라."

"동조. 유즈루들도 도울게요."

"……뭐, 잘은 모르겠지만 어떻게든 되지 않겠어?"

하지만 바로 그 순간이었다.

그녀들의 말을 막듯, 아까 코토리가 떨어뜨린 단말에서 알람이 흘러나왔다.

『〈다인슬레프〉 기동 코드를 확인했습니다. 해당 목표에 공격을 개시합니다.』

"……읏?!"

코토리는 무심코 숨을 삼키더니 단말을 주웠다. 코토리는 잘못 들은 거라고 믿고 싶었지만, 화면에는 〈다인슬레프〉의 기동을 알리는 문장이 표시되어 있었다.

오리가미는 전율로 얼굴을 물들인 채 그것을 쳐다보았다.

"어떻게 된 거야. 설마, 낙하 충격으로?"

"그 정도 충격으로 오작동을 일으킬 리가 없어! 대체 누가—!"

이유는 알 수 없지만, 〈다인슬레프〉가 발동된 것은 틀림없었다. 코토리는 허둥지둥 명령을 중지시키기 위해 단말을 조작했다.

하지만 이미 늦었다.

어둠이 드리워진 밤하늘에서 별똥별이 빛난 듯한 느낌이 든 순간.

엄청난 양의 빛이 정령들의 시야를 가득 채웠다.

"시도—!!"

코토리는 목청껏 절규를 내뱉으며 시도를 향해 손을 뻗

었다.

하지만 그런다고 해서 시도의 운명이 변할 리가 없었다. 시도를 이 세상에서 지워버린 그 빛의 여파가 지면을 꿰뚫었고, 주위에 있던 코토리 일행은 엄청난 충격파에 튕겨 날아가지—.

**않았다.**

"어……?"

몸을 경직시켰던 코토리는 눈을 몇 번 깜빡인 후 고개를 들었다. 다른 정령들도 비슷한 표정을 지은 채 머리 위를 올려다보았다.

그것도 무리는 아니었다. 코토리 일행의— 정확하게 말하자면 시도의 머리 위에 영력으로 짠 방벽 같은 것이 생겨나더니, 〈다인슬레프〉의 일격을 막아낸 것이다.

"앗—."

경악한 코토리는 눈을 치켜떴다.

한순간, 시도가 넘치는 영력으로 방벽을 만들어냈다고 생각했지만 그렇지 않았다.

【휴우, 위험했네.】

어느새 나타난 것인지는 모르겠지만, 시도의 머리 위에는 다른 정령이 존재했다.

아니…… 그것이 진짜로 『정령』인지 아닌지는 코토리조차도 알지 못했다.

그것도 그럴 것이, 그곳에 있는 것은 노이즈로 자신을 감싼 성별을 알 수 없는 누군가였기 때문이다.

"너는—!"

코토리는 손가락 끝을 희미하게 떨면서 말했다. 다른 이들도 정도의 차이는 있지만 코토리와 마찬가지로 경악을 금치 못하고 있었다.

특히, 『그것』과 대면한 적이 있는 미쿠와 오리가미의 반응은 격렬했다. 미쿠는 동요를, 오리가미는 경계심을 얼굴에 드리운 채, 정체를 알 수 없는 노이즈 덩어리를 응시했다.

그렇다. 정령을 낳는 정령.

코토리와 미쿠, 오리가미에게 세피라를 줘서 정령으로 만든 존재.

—〈팬텀〉이라는 이름으로 불리는 자가 그곳에 존재했던 것이다.

"〈팬텀〉……?!"

코토리는 고함을 지르듯 그 이름을 입에 담았다.

눈앞에 나타났는데도 상대가 어떤 모습을 지녔는지 인식할 수 없었다. 하지만 상대의 기묘한 존재감은 잊고 싶어도 잊을 수가 없었다. 5년 전, 어린 코토리의 앞에 나타난 『무언가』와 같은 존재였다.

모든 것이 어둠에 휩싸인 존재. 코토리가 아무리 조사해도, 단서조차 찾을 수 없었던 수수께끼의 정령. 알고 싶은 것과 확인하고 싶은 것은 산더미처럼 많지만, 〈팬텀〉을 본 코토리는 머릿속이 새하얗게 변해버린 것처럼 몇 초 동안 아무 말도 하지 못했다.

그러자 노이즈에 둘러싸인 『그것』이 마치 음성 변조기를 사용한 것 같은 목소리로 말했다.

【……인간도 꽤나 거친 짓을 하네.】

농담하듯 그렇게 말한 〈팬텀〉은 몸을 돌렸다. 그와 동시에 시도의 머리 위에 우산처럼 펼쳐져 있던 장벽이 공기 중에 녹아들 듯 사라졌다.

"……너는 그딴 소리를 할 자격 없어!"

코토리는 〈팬텀〉의 말을 듣고 인상을 썼다.

시도가 이런 상황에 처하게 된 근본적인 원인을 만든 이는 바로 〈팬텀〉이다. 〈팬텀〉이 코토리를 정령으로 만들었고, 시도는 코토리의 영력을 봉인했기 때문에 폭주라는 리스크를 안게 된 것이다.

하지만 거기까지 생각이 미친 코토리의 머릿속에 어떤 의문이 생겨났다.

왜 〈팬텀〉이 느닷없이 나타난 것일까.

그리고 왜, 〈다인슬레프〉로부터 시도를 지킨 것일까.

"〈팬텀〉…… 너는 대체……."

코토리가 질문을 던지듯 말했다.

하지만 〈팬텀〉은 그 질문에 대답하지 않은 채, 시도를 향해 돌아서면서 입을 열었다.

【……흐음, 확실히 그는 지금 위험한 상태야. 너의 비통한 각오도 이해가 되지 않는 건 아냐. 하지만, 아직은 그가 살아 있어주지 않으면 곤란해.】

"무…… 무슨 소리를 하는……."

코토리가 당황한 목소리로 그렇게 말하자, 〈팬텀〉은 고도를 낮추더니, 시도의 눈앞에 섰다. 시도의 주위에서 소용돌이치고 있는 영력을 전혀 개의치 않으면서 말이다.

【……착한 아이구나.】

그리고 〈팬텀〉은 상냥한 목소리로 그렇게 말하면서 시도의 이마에 손을 댔다.

그러자—.

"————!"

시도는 하늘마저 떨리게 만들 듯한 절규를 토하면서 고통을 호소하듯 몸을 뒤틀어댔다.

"크— 카, 아아아아아아아아아아아아아아아앗!"

그리고 주위의 경치를 도려내듯 파괴하더니 다시 이동하기 시작했다. 무언가를 향해, 일직선으로 달려가듯 말이다.

"시, 시도?!"

"달링!"

"네 이놈, 감히 시도에게 무슨 짓을 한 게냐!"

"동조. 상황이 악화된 것 같은 느낌이 들어요."

정령들의 말을 들은 〈팬텀〉은 휴우 하고 한숨을 내쉬는 듯한 동작을 취했다.

【너무하네. 너희에게 기회를 줬는데 말이야.】

"뭐……?!"

"아! 코토리! 저길 보거라!"

코토리가 미간을 찌푸렸을 때, 토카가 놀란 목소리로 고함을 질렀다.

그와 동시에 코토리도 눈치챘다. 시도를 감싸고 있던 영력이 아주 조금 약해진 것이다.

"이건—."

【……이제부터는 너희에게 달렸어. 건투를 빌게. —그럼 잘 있어. **나의 귀여운 아이들.**】

"……윽?! 그게 무슨 소리—."

코토리는 〈팬텀〉의 말을 듣고 고함을 질렀다. 하지만 〈팬텀〉은 그 말에 답하지 않은 채 뒤돌아서더니, 그대로 공기 중에 녹아들 듯 사라졌다.

"큭! 기, 기다려!"

"코토리 씨…… 지금은, 시도 씨부터, 구해야 해요……!"

요시노가 호소하는 듯한 목소리로 말했다. 그 말을 듣고 걸음을 멈춘 코토리는 「……맞아」 라고 말하며 고개를 끄덕였다.

“뭘 어떻게 한 건지는 모르겠지만, 시도를 둘러싼 영력이 흐트러졌어. 어쩌면 아직 늦지 않았을지도 몰라.”

“뭐! 코토리, 그게 정말이냐?!”

토카가 눈을 치켜뜨면서 묻자, 코토리는 고개를 끄덕이면서 말을 이었다.

“응. ……하지만 어디까지나 최악 직전의 상태가 되었을 뿐이니까, 절망적인 상황이라는 것에는 변함이 없어. 저 영력을 뚫고 다가가서 시도에게 키스를 해야만 하는 거야. 지금의 우리로는—.”

바로 그때, 코토리의 말을 끊듯 카구야가 “크큭!” 하고 웃었다.

“뭐냐. 간단하지 않느냐.”

“동의. 문제없어요.”

그렇게 말한 카구야와 유즈루는 손을 맞잡더니 묘하게 멋진 포즈를 취했다.

“문제없다니…… 그게 얼마나 힘든 건지…….”

코토리는 미간을 찌푸리면서 말을 이었다. 하지만 카구야와 유즈루는 시선을 교환하더니, 입가에 미소를 머금으면서 의식을 집중하듯 눈을 감았다.

그리고—.

“하앗! 모습을 드러내거라, 구풍의 힘이여!”

"현현. 에잇~."

그렇게 외친 순간, 두 사람이 두른 드레스 위에 구속의 같은 것이 현현되었다.

정령의 갑옷이자 성(城)인 한정 영장이었다.

"앗……!"

코토리는 숨을 삼켰다. 그것도 무리는 아니었다. 야마이 자매는 좁아진 파이프를 여전히 넓히지 못했다. 즉, 그녀들은 자신들의 몸 안에 남아 있는 약간의 영력을 억지로 끌어내 한정 해제를 한 것이다.

"카구야, 유즈루! 뭐 하는—."

코토리는 말을 이으려다 멈췄다.

확실히 파이프가 좁아진 상태에서 한정 영장을 현현시키는 것은 매우 위험하다. 최악의 경우, 시도보다 먼저 저 두 사람이 죽을 수도 있다.

하지만 저런 상태의 시도에게 다가갈 방법은 이것뿐이었다.

"……아까 나츠미가 했던 걸로 추정해볼 때, 아마 그 상태로 있을 수 있는 시간은 길어봤자 5분 정도일 거야."

코토리가 표정을 굳히면서 그렇게 말하자, 야마이 자매는 쾌활한 웃음을 터뜨렸다.

"크큭, 꽤 여유가 있지 않느냐."

"동의. 누구보다도 빠른 야마이에게는 충분하고도 남는 시간이에요."

두 사람은 그렇게 말한 후, 서로를 바라보면서 고개를 끄덕이더니 바람으로 몸을 감싸며 날아올랐다.

—삼림을 가로지르며 행군하고 있는 시도를 향해서 말이다.

◇

〈볼프테일〉과 〈칼라드볼그〉가 불꽃을 튀기며 격돌했다.

"핫!"

"물러요."

엘렌은 몇 번째인지 기억도 나지 않는 마나의 공격을 가볍게 받아냈다. 그리고 몸을 비틀면서 마나의 복부를 향해 앞차기를 날렸다.

마나는 반사적으로 테리터리를 조작해 후방으로 이탈했지만 반응이 한 템포 늦은 탓에 완전히 위력을 상쇄시키지 못했다. 명치에서 통증이 느껴지자 마나는 작게 기침을 토했다.

"큰 소리를 친 것치고는 소극적인 공격만 반복하는군요. 그래가지고 저를 죽일 수 있겠어요?"

"흥……. 상대를 죽이는 것 이외에 이기는 방법을 모르나 보네요? 마력은 최강이라도 머리는 그렇게 좋지 않은 것 같군요."

"그런 한심한 도발에 제가 넘어갈 것 같습니까?"

엘렌은 차분한 표정으로 말을 이었다. 하지만 그것도 당연했다. 리얼라이저를 제어하는 것은 위저드의 뇌다. 동요와 당황은 테리터리의 정밀도에 영향을 끼친다. 최강이라 불리는 여성이 이 정도 도발에 반응을 보일 리가 없었다.

"흥, 그딴 건 기대도 해버린 적 없거든요? 단순한 감상이라고요. DEM에 있던 시절부터 좀 얼빠진 데가 있다고 생각했었으니까요."

"헛소리군요. 저한테 빈틈이 있을 리가……."

"당신이 아무것도 없는 데서 넘어지는 모습을 몇 번이나 봐버렸죠. 그리고 서류 파일을 2층에서 4층으로 옮기면서 두 번 정도 휴식을 취해버렸었죠?"

"윽?! 그걸 어떻게—."

"뭐, 이제 와서 하는 말인데, 제2집행부의 위저드들 사이에서 당신은 『집행부장』이 아니라 『허약부장』이라고 불려요."

"……."

이마에 혈관이 튀어나온 엘렌은 아무 말 없이 마나에게 육박하더니 〈칼라드볼그〉를 휘둘렀다. 마나는 그 공격을 겨우겨우 피한 후, 하하 하고 놀리듯이 웃음을 터뜨렸다.

"어라라~? 방금 도발에 안 넘어간다고 말하지 않았어요~?"

"닥치세요! 감히 저에게 그딴 불쾌한 별명을 붙이다니……!"

엘렌은 짜증을 내면서 고함을 질렀다. 그녀가 영국에 있는 DEM 본사에 돌아가면, 마나의 예전 동료들은 혹독한 『특별 훈련』을 받게 될 것 같았다.

참고로 방금 마나가 말한 별명은 그녀가 방금 생각해낸 것이었다. 영국인 위저드가 태반인 제2집행부에서 동양의 언어로 된 별명이 쓰일 리가 없었다. 조금만 머리를 굴려보면 알 수 있겠지만…… 엘렌에게 있어 그것은 엄청난 터부였던 것 같았다. 분노에 휩싸인 그녀는 거기까지 생각이 미치지 않는 듯했다.

하지만 바로 그때였다.

통신을 받은 엘렌의 눈썹이 갑자기 흔들렸다.

"—예. ……뭐라고요? 『자재A』가 말인가요?"

엘렌은 눈썹을 찌푸리더니, 칫 하고 혀를 차면서 마나를 향해 들고 있던 〈칼라드볼그〉를 내렸다.

"운이 좋은 사람이군요. 하지만, 다음은 없습니다."

엘렌은 그렇게 말한 후, 테리터리를 조작해 밤의 어둠 너머를 향해 날아갔다.

"……흥. 여전히 지는 걸 싫어하는 사람이군요."

하지만 마나는 그녀를 쫓지 않았다. 마나의 목적은 어디까지나 시간을 버는 것이며, 지금 추격을 한다고 해서 엘렌

메이저스를 이길 수 있다는 보장은 없었기 때문이다.

하지만 마나에게는 현재 그것보다도 더 큰 이유가 존재했다.

아까 지상에 떨어졌을 때, 시도가 입에 담은 이름이 여전히 머릿속에서 소용돌이치고 있었던 것이다.

"……미오 씨가 대체 누구죠."

마나는 한밤의 어둠 아래에서 작게 중얼거렸다.

◇

눈앞에 펼쳐진 숲 속을 눈부신 빛을 두른 짐승이 일직선으로 가로지르고 있었다.

그렇게 형용할 수밖에 없는 광경을 바라보면서, 카구야와 유즈루는 바람을 타고 하늘을 가르고 있었다.

"유즈루! 준비는 됐느냐?!"

"응답. 물론이죠. 카구야야말로 겁을 집어먹고 기회를 놓치지 마세요."

"흥. 누구한테 그딴 소리를 하는 것이냐. 구풍의 왕녀 야마이가 겨우 이딴 일로 겁을 먹을 것 같으냐!"

"부정. 그건 걱정하지 않아요. 하지만 키스를 해야 할 때 주저하기라도 하면 곤란해요."

"뭐……! 주저 안 해! 여유가 넘쳐흐른다구!"

카구야가 평범한 말투로 그렇게 외치자, 유즈루는 미심쩍은 눈길로 그녀를 쳐다보았다.

"의심. 정말인가요? 시도 앞에서 카구야는 남의 집에서 빌려온 김에 목을 쓰다듬어주고 있는 고양이처럼 되잖아요."

"그런 적 없어! 말도 안 되는 소리 하지 말아줄래?!"

"흉내. 냐옹…… 시도가 그런 데를 만지니까, 카구야, 이상한 기분이 들어냐옹……."

"잠깐만, 그거 내 흉내 낸 거야?! 나 그런 말 한 번도 한 적 없거든?!"

카구야가 언성을 높였지만, 유즈루는 들은 척도 하지 않았다.

두 사람은 그대로 고도를 낮추더니, 나무 사이를 가르면서 시도를 좌우에서 포위하듯 비행했다.

"……쳇! 아무튼 시작하자, 유즈루!"

"대답. 좋아요."

두 사람은 고개를 끄덕인 후, 시도를 향해 좌우에서 바람을 날렸다. 그 풍압 탓에 시도의 움직임이 아주 조금 둔해졌다.

두 사람 다 그 정도로 시도를 막을 수 있을 거라고는 생각하지 않았다. 그렇다. 이제부터 본격적으로 시작하는 것이다.

라파엘 엘 레엠
“〈구풍기사(颶風騎士)〉—【꿰뚫는 자】!”

카구야가 그렇게 외치면서 손을 들어 올리자, 수갑(手甲)과 한쪽 날개, 그리고 거대한 돌격창이 모습을 드러냈다.

“하앗!”

그리고 그녀는 날카로운 기합을 내지르면서 시도— 정확하게 말하자면 시도를 감싼 영력 장벽을 향해 혼신의 일격을 날렸다. 그러자 엄청난 열풍이 주위를 휘감으면서 시도를 감싼 장벽이 한순간 쪼개졌다.

찬스라고 하기에는 너무나도 희미한 틈이었다. 하지만 그 누구보다도 빠른 야마이에게는 그 정도로 충분했다.

엘 나하쉬
“호응. 〈라파엘〉—【옭아매는 자】!”

유즈루가 외치자, 펜듈럼 형태를 한 천사가 시도를 향해 뻗어갔다.

하지만 그것은 공격이 아니었다. 【엘 나하쉬】의 사슬이 시도의 손발을 옭아매면서 그의 움직임을 봉쇄한 것이다.

“기회. 카구야!”

“좋아!”

두 사람은 순식간에 시도에게 육박했다. 양손 양발이 묶인 시도는 자아를 잃은 것처럼 낮게 으르렁거리고 있었다.

“시도, 지금 바로 구해줄게.”

“보은. 그때, 시도가 유즈루와 카구야에게 해줬던 것처럼요.”

카구야와 유즈루는 그렇게 말한 후, 동시에 시도를 향해 얼굴을 내밀었다. 그리고 그의 입술에 살며시 입맞춤을 했다.

『……아!』

그러자 그 순간, 카구야와 유즈루는 온몸에서 열이 뿜어져 나오는 느낌을 받았다. 마치 멈춰 있던 피가 다시 흐르기 시작한 것처럼, 온몸에서 힘이 샘솟았다.

"이건…… 파이프가 넓어졌다는 거겠지?"

"긍정. 아마도요. 유즈루가 시도를 잡고 있는 사이에, 다른 사람들도 키스를—."

하지만 유즈루가 말을 끝까지 잇기도 전에—.

"크아아아아아아앗!"

시도가 포효를 지르면서 유즈루의 【엘 나하쉬】를 떨쳐냈다. 그와 동시에 엄청난 충격파를 뿜어서 눈앞에 있는 카구야와 유즈루를 튕겨냈다.

"우왓—!"

"방심. 놓치고 말았어요."

사슬에서 풀려난 시도는 또 미친 듯이 전진하기 시작했다.

그리고 카구야와 유즈루가 시도의 뒤를 쫓기 위해 몸을 일으킨 순간—.

백은색을 띤 거대한 토끼가 그녀들의 눈앞을 가로질렀다.

"요시노?!"

카구야가 그 이름을 입에 담자, 한정 영장을 걸친 채 토끼의 등에 탄 요시노가 고개를 끄덕였다.

자드키엘
"〈빙결괴뢰(氷結傀儡)〉!"

요시노가 그렇게 말한 순간, 거대한 토끼 모양 천사가 입을 열더니 주위를 냉기로 가득 채웠다. 공기 중의 수분을 결집시켜 지면을 얼린 것이다. 지면에 존재하는 나무와 암석, 그리고 지면 위를 달리고 있는 시도의 발도 말이다.

발이 얼어붙은 탓에 시도는 움직임을 멈췄다. 요시노는 〈자드키엘〉을 탄 채 시도의 앞으로 이동했다.

그리고 〈자드키엘〉을 지면에 엎드리게 한 후, 요시노는 그 등에서 시도를 향해 얼굴을 내밀었다.

"시도 씨…… 원래대로 돌아와 주세요."

요시노는 그렇게 말하면서 시도와 입술을 포갰다. 그러자 그녀의 몸이 뜨거워지면서, 영장이 옅은 빛을 뿜었다.

그 후, 요시노는 자신의 등에 매달려 있는 그림자에게 말을 건넸다

"자아, 나츠미 씨도 서둘러요……!"

"으, 응……."

요시노와 함께 〈자드키엘〉에 타고 있던 나츠미는 고개를 내밀었다.

참고로 나츠미는 정령 중에서 유일하게 한정 영장을 현현

시키지 않았다. 나츠미도 시도를 구하고 싶었지만, 시도를 공략하는 와중에 어중간하게 영력을 쓴 탓에 그녀만 한정 영장을 현현시킬 수가 없었다.

"……짧은 생각으로 요시노에게 폐를 끼쳤습니다. 죽음으로 사죄할게요."

"예?"

"아…… 아무것도 아냐. 빨리 시도를 구해야지……."

나츠미는 거북한 표정을 지으면서 〈자드키엘〉의 등에서 몸을 내밀려고 했다. 그러다 손이 미끄러진 탓에 지면에 얼굴을 처박고 말았다.

"으윽!"

"나, 나츠미 씨!"

"괘, 괜찮아……."

나츠미는 코를 만지면서 손을 내저었다. 괜찮다고 말하기는 했지만 그녀의 눈에는 눈물이, 그리고 코에서는 피가 흘러나오고 있었다.

"그, 그럼 시도. 나 같은 게 상대라 기분이 좀 그렇겠지만…… 이건 네가 나한테 영력을 주지 않은 탓이야. 의식이 없는 사이에 멋대로 키스했다고 소송 걸지는 말라구. ……그럼 키스, 한다? 괜찮지? 싫으면 싫다고 말해."

"저기, 나츠미 씨, 시간이 많지 않……."

바로 그때였다.

"크아아앗!"

시도가 이를 악물고 힘을 주는가 싶더니, 그의 발을 묶고 있던 얼음이 깨졌다. 그리고 그는 눈앞에 있는 나츠미에게 달려들었다.

"꾸히익……?!"

나츠미는 기묘한 비명을 지르면서 몸을 뒤쪽으로 젖혔다.

하지만 시도의 손은 나츠미에게 닿지 않았다.

아슬아슬한 타이밍에 두 사람의 주위에 은색 통이 출현하더니, 힘이 어린 소리를 내어 시도의 몸을 속박한 것이다.

"우후후~. 아슬아슬했네요~."

그 말이 들린 순간, 나무 사이로 한정 영장을 현현시킨 미쿠가 모습을 드러냈다. 아무래도 시도를 막은 것은 그녀의 천사인 〈파군가희(破軍歌姬)[가브리엘]〉의 힘인 것 같았다.

"미쿠……."

"나츠미 양, 괜찮나요? 답례는 뽀뽀 한 번이면 돼요~."

"저, 절대 안 해!"

"저기, 시도 씨가 금방이라도 풀려날 것 같은데요……."

요시노가 그렇게 말하자, 나츠미는 어깨를 부르르 떨었다. 그리고 한순간 망설인 후, 시도의 입술에 자신의 입술을 살짝 댔다.

"자, 이걸로 끝! 오케이지~? 이것도 키스는 키스지?!"

"아앙. 아깝잖아요~, 나츠미 양."

나츠미의 뒤를 이어 미쿠가 시도를 향해 얼굴을 내밀었다. 그리고 키스를 나눈 후 입술을 뗀 순간, 혀를 내밀어 그의 입술을 살짝 핥았다. 그 요염한 행위를 본 요시노와 나츠미는 무심코 얼굴을 붉혔다.

"우후후. 달링과의 키스에, 나츠미 양과의 간접 키스…… 아앙. 왠지 엄청 이득 본 것 같아요~."

"뭐……?! 가, 간접?! 나, 나는 딱히……."

나츠미는 말을 잇다 뭔가를 깨달았는지 어깨를 부르르 떨었다.

"어, 어라, 그럼 나, 혹시, 요시노와 간접 키스를 한 거야……?"

나츠미는 더욱 얼굴을 붉혔다. 나츠미가 그런 반응을 보이자, 요시노까지도 부끄러움을 느꼈다.

"예? 아, 저기……."

하지만 이러고 있을 수는 없었다. 시도가 소리의 압박을 돌파하고, 〈자드키엘〉을 밀쳐내더니, 다시 전진을 시작했기 때문이다.

"꺄아……!"

요시노는 〈자드키엘〉을 조작해서 허둥지둥 균형을 잡았다. 미쿠는 뒤쪽으로 물러났고— 나츠미는 그 자리에서 넙죽 엎드렸다.

“자— 먼저 나섰던 애들은 키스에 성공한 것 같네. 우리도 가자!”

“알았다.”

불꽃을 두른 코토리와 빛을 두른 오리가미가 시도가 그린 궤적을 쫓으며 하늘을 날았다.

자아를 잃은 채 날뛰고 있는 시도는 그야말로 괴물이었다. 재해가 인간의 형태를 하고 있는 것이나 마찬가지였다.

그렇다. 소위— AST에게 『정령』이라 불리는 존재 그 자체였다.

하지만 코토리의 마음에는 절망감이 존재하지 않았다. 오히려 불가사의한 고양감으로 가득 차 있다고 해도 과언이 아니었다.

아직 위기 상황에서 벗어난 것은 아니다. 하지만 시도를 죽이는 것 이외의 선택지를, 몇 퍼센트밖에 되지 않는다 할지라도 희망을 찾아낸 이 상황은 코토리에게 있어 기적이나 마찬가지였다. 물론 그렇다고 해서 〈팬텀〉에게 고마워할 생각은 없지만 말이다.

코토리는 흥 하고 코웃음을 흘린 후, 오리가미를 향해 말했다.

“오리가미! 준비는 됐지?!”

“물론.”

오리가미는 짧게 대답한 후, 그대로 시도를 향해 활공했다.

"〈메타트론〉."

그 말에 호응하듯, 오리가미의 머리 위에 여러 개의 커다란『깃털』이 모여 왕관 형태를 이루고 있는 천사가 현현됐다.

〈메타트론〉은 오리가미가 손을 내밀자 그대로 분해되더니, 깃털 하나하나의 끝에서 지면을 향해 광선을 발사했다.

물론 오리가미는 시도에게 상처를 입힐 생각이 없었다. 그 광선은 시도의 진로를 차단하듯 지면에 작렬했다.

"—큭!"

하지만 그 공격에 반응한 시도가 고개를 치켜들더니, 하늘을 향해 도약했다.

"크아아아아앗!"

그리고 손에 검의 형태를 한 천사 〈산달폰〉을 현현시키더니, 오리가미를 향해 휘둘렀다.

"오리가미!"

코토리는 무심코 고함을 질렀다. 아무리 오리가미라도 지금은 충분히 영력을 발휘할 수 있는 상태가 아니었다. 저 공격을 맞으면 치명상을 입을지도 모른다.

하지만 〈산달폰〉이 닿기 직전, 오리가미의 몸이 빛처럼 사라졌다. 그리고 다음 순간, 시도의 품속에서 나타났다.

"——."

오리가미는 시도의 볼에 손을 대더니 그대로 입술을 포

갰다.

그러자 시도는 움찔하면서 반응을 보이더니, 또 포효를 지르면서 〈산달폰〉을 휘둘렀다.

오리가미의 모습이 또 사라지더니 몇 미터 후방에 출현했다. 그 타이밍을 기다린 것처럼, 이번에는 코토리가 시도를 향해 접근했다.

"아— 아아아아앗!"

그 사실을 눈치챈 시도는 손에 든 〈산달폰〉을 휘둘러 영력파를 날렸다.

코토리는 그 영력파를 피하면서 마른침을 삼켰다. 역시 시도의 반응이 점점 변하고 있었다. 야마이 자매 때는 그저 맹위를 떨치는 재해 같았지만, 나츠미 때는 공격적인 의도를 드러냈으며, 지금은 천사를 이용해 『적』— 코토리 일행을 향해 공격을 퍼붓고 있었다.

더욱 저항이 거세어지고 접근이 곤란해졌다고도 할 수 있지만, 거꾸로 말하자면 시도의 반응에 지성이, 인간적인 감가이 돌아오고 있다고 할 수 있었다.

"시도."

코토리는 양손을 펼치더니, 시도를 끌어안으려는 것처럼 육박했다.

"—큭!"

시도가 〈산달폰〉을 휘둘렀다. 하지만 코토리는 피하지 않았다. 검이 코토리의 몸을 대각선으로 가르고 지나가자, 엄청난 양의 피가 뿜어져 나왔다.

"코토리!"

오리가미가 자신의 이름을 부르자, 코토리는 괜찮다는 듯이 손을 살며시 들어 보였다. 곧 그녀의 몸에 난 상처에 불꽃이 맺히더니, 상처가 치유되어갔다.

물론 아무리 상처가 치유되더라도, 고통은 존재했다. 하지만 그편이 나았다. 이 고통은 시도를 죽이려 했던 코토리의 속죄의 증표였다.

"오빠."

코토리는 시도를 꼭 끌어안더니, 그의 입술에 입맞춤을 했다.

"……어른의 키스는, 조금만 더 기다려줄게."

그리고 그렇게 말하면서 작게 미소 지었다.

"——!"

시도는 괴성을 지르면서 몸을 비틀어 코토리의 포옹에서 빠져나오더니, 다시 진군을 시작했다.

"남은 건, 한 명."

코토리가 낫기 시작한 상처를 손으로 누르면서 고통 섞인 신음을 흘렸다. 흥분과 고양감 때문에 희미해져 있던 고통과 열기가 한 템포 늦게 그녀를 덮친 것이다.

아무튼 이제 한 명 남았다. 마지막 한 명이 키스를 하면 시도와 정령들 사이의 파이프가 전부 정상화될 것이고, 그러면 그도 원래대로 되돌아올 것이다.

코토리는 흐릿한 시야로 시도를 바라보았다.

—그의 앞을, 보라색 영장을 현현시키고, 황금색 검의 끝을 지면에 찔러 넣은 아름다운 공주님이 막아서고 있었다.

나뭇잎이 다 떨어진 나무가 쓰러지는 소리가, 영력이 터지는 소리가, 어둠을 가르는 포효가, 지면을, 고막을, 피부를 덮쳤다.

조용히 눈을 뜬 토카는 〈산달폰〉의 칼자루를 쥐더니 정안(正眼) 자세를 취했다.

"왔느냐, 시도."

영력의 회오리를 두르고, 손에 토카와 마찬가지로 〈산달폰〉을 쥔 시도가 새하얀 입김을 토하면서 나타났다.

그리고 자신을 막아선 토카의 모습을 본 시도는 전투태세를 취했다. 그리고 손에 쥔 〈산달폰〉을 휘두르며 검격을 날렸다.

"흡—!"

토카는 그 검격을 쳐낸 후, 지면을 박차며 시도에게 접근했다.

두 자루의 〈산달폰〉이 맞부딪히자 영력의 불꽃이 튀었다.

상단, 하단, 중단. 여러 각도에서 공격을 날리고, 그 공격 사이의 틈을 노리듯 날아오는 검을 막아냈다. 공격이 맞부딪힐 때마다 주위로 충격파가 퍼져 나갔으며, 발이 지면에 가볍게 박혔다.

토카는 감개무량한 느낌을 받았다. 시도가 검으로 토카를 이 정도까지 맞상대할 수 있을 거라고는 생각도 하지 못했다.

하지만 지금의 시도는 시도지만, 시도가 아니다. 토카는 시선을 날카롭게 만들더니, 혼신의 힘을 다해 〈산달폰〉을 그어 올렸다.

"타아아앗!"

키잉! 하는 소리와 함께 시도가 쥔 〈산달폰〉이 밤하늘을 향해 튕겨져 날아가더니, 그대로 빛의 입자가 되어 바람을 타고 사라졌다.

토카는 순수한 영력의 양은 지금의 시도에게 미치지 못하지만, 검술 기량에서는 하늘과 땅 만큼 차이가 났다. 시도가 〈산달폰〉을 쥐고 달려든 시점에서, 결과는 정해져 있었던 것이다.

"시도, 지금 구해주마."

토카는 결의를 다지며 고개를 끄덕인 후, 시도의 품속으로 뛰어들었다. 그리고 그의 턱에 손을 대면서 자신의 입술을 내밀었다.

—하지만, 바로 그 순간.

"……윽! 크, 앗……?!"

갑자기 가슴에 뭔가가 박히는 듯한 통증을 느낀 토카는 가슴을 움켜쥐면서 고통 섞인 신음을 흘렸다.

"이, 건……."

이윽고 〈산달폰〉과, 토카의 몸을 감싸고 있던 한정 영장이 사라졌다. 아무래도 몸에 남아 있던 영력이 바닥난 것 같았다.

그 순간, 엄청난 중압감과 압박감이 그녀를 덮쳤다. 한정 영장이 해제된 탓에 토카의 몸이 시도의 영력에 직접적으로 노출되고 만 것이다.

"큭—."

"——."

시도는 아무 말 없이 손을 내저었다. 그러자 무방비 상태의 토카는 그대로 뒤편으로 튕겨져 날아갔다.

"커억……!"

커다란 나무에 부딪힌 토카의 의식이 몽롱해졌다. 온몸의 뼈와 근육이 어긋나기라도 한 것처럼 아팠다.

"토카!"

"토카 씨……!"

바로 그때, 하늘과 앞쪽에서 코토리를 비롯한 다른 정령들의 목소리가 들렸다.

하지만 그녀들이 시도의 힘을 억누르기 위해 천사를 사용하려 한 순간, 토카가 고함을 질렀다.

"기다려다오!"

"……읏?! 토카, 무슨 소리를 하는 거야?!"

코토리가 깜짝 놀란 목소리로 말했다. 하지만 토카는 차분하기 그지없는 심정으로 말을 이었다.

"너희는…… 나서지 말아다오. 이것만큼은 내가 해야만 할 것 같은 느낌이 든다."

"토카……."

그렇게 말한 코토리는 토카의 마음을 이해한 것처럼 다른 정령들을 제지했다.

토카는 감사의 뜻을 표하듯 눈빛을 보낸 후, 시도를 쳐다보았다.

"―크앗!"

시도는 포효를 터뜨리며 몸을 뒤틀었다.

아무리 다른 정령들과 이어진 파이프가 넓어져 영력의 공급이 안정되었다고 해도, 아직 시도에게 봉인된 영력이 압도적으로 컸다. 순수한 힘 대결로는 밀리고 말 것이다.

"큭……."

토카는 욱신거리는 몸을 억지로 움직여 시도를 향해 나아갔다.

시야는 흐릿했고, 의식 또한 몽롱했다. 온몸에서 고통이 느껴졌다. 하지만 그런 것 때문에 다른 이들이 만들어준 최후의 기회를 놓칠 수는 없었다.

"커—억……!"

시도를 감싼 영력의 소용돌이가 토카의 몸을 거절하듯 더욱 거칠게 날뛰었다. 마치 맨몸으로 황산으로 된 바다에 뛰어든 것 같은 느낌이었다. 보이지 않는 힘이 피부를 핥고 지나가면서 기절할 만큼 극심한 고통만을 토카에게 전해줬다.

하지만 토카는 걸음을 멈추지 않았다. 지금 토카가 포기한다면, 시도를 구하지 못할 것이다. 다른 이들의 마음 또한 물거품이 되고 만다. 그것만은 절대 안 된다.

"시도…… 너는, 이런 고통을 받으면서…… 싸워왔던 것이냐……?"

토카는 쥐어짜내는 듯한 목소리로 말을 이었다.

아무리 코토리의 재생 능력이 있다고 해도, 시도는 통각을 지닌 인간이다. 영장도 없는 상태에서 정령, 그리고 위저드를 상대하는 것이 얼마나 무시무시한 짓인지— 토카는 현재 그것을 뼈저리게 깨닫고 있었다.

하지만 시도는 포기하지 않았다. 몇 번을 다쳐도, 몇 번을 쓰러져도, 결코 포기하지 않았다. —다른 누구도 아닌, 토카를 비롯한 정령들을 구하기 위해서 말이다.

시도가 그렇게까지 해가면서 정령들을 구하려 한 이유를, 토카는 알지 못했다. 하지만 그런 시도가 이대로 구원받지 못한 채 끝나버리고 마는 것은 불합리하기 그지없다.

아니—.

"…………나는."

토카는 독백하듯 중얼거렸다.

확실히 시도에게는 큰 빚을 졌다. 평생이 걸려도 다 갚지 못할 만큼 큰 빚을 말이다.

게다가 시도처럼 상냥한 남자가 구원받지 못해서는 안 된다고 생각하고 있었다.

하지만 토카가 앞으로 나아가는 이유는 그것만이 아니었다.

분명, 토카의 마음속에 있는 것이 보답과 도리(道理)만이었다면 그녀는 중간에 걸음을 멈추고 말았을 것이다.

하지만 그 어떤 고난과 마주치더라도 눈곱만큼의 체념도 용납하지 않는 감정이, 토카의 마음속에 존재했다.

"—아아, 그래."

토카는 고통 속에서 처음으로 이해한 것 같은 느낌을 받았다.

말로는 몇 번이나 들었던 단어와, 자신의 마음속에 존재하는 이 정체불명의 감정이 처음으로 연결된 것이다.

분명 이것이— 『사랑』.

코토리나 요시노를 향한 『사랑』과는 조금 다른 『사랑』.

토카는 시도를 사랑한다. 사랑해 마지않기 때문에 구하고 싶어 하는 것이다.

"시도."

토카는 그 이름을 입에 담으면서 오른손을 뻗어, 시도가 목에 맨 넥타이를 움켜잡았다.

그리고 그대로 시도의 목을 잡아당겨 키스를 했다.

"——."

그 순간, 몸이 뜨거워지는 것이 느껴지더니, 시도를 감싼 영력이 주위로 흩어지듯 뿜어져 나갔다.

잠시 후, 짐승처럼 거칠던 시도의 숨결이 점점 차분해지더니 그의 몸에서 힘이 빠졌다.

그리고 흉흉하게 빛나던 눈에 의지의 빛이 어린 순간, 시도는 그제야 토카와 키스를 하고 있다는 사실을 깨달은 것처럼 어깨를 부르르 떨었다.

"……읏?! 토, 토카?! 뭐, 뭐 하는 거야……?!"

평소와 다름없는 목소리. 평소와 다름없는 반응.

—토카가 사랑하는 시도가, 그녀의 눈앞에 있었다.

토카는 안도에 찬 미소를 입가에 머금더니, 작은 목소리로 말했다.

"안 가르쳐줄 거다. 바보…… 바보."

토카는 그 말을 남긴 후, 시도에게 기대듯 몸에서 힘을 뺐다.

# 종장 풀려난 『두 번째』

어둠에 물든 한밤중의 숲 속을 화염에서 뿜어져 나온 빛이 비추고 있었다.

그곳은 도시에서 꽤 떨어진 곳에 있는 한적한 장소였다. 평소에도 인적이 없으며, 불씨 또한 나무에 번개라도 떨어지지 않는 한 생겨날 리가 없었다.

하지만 현재 이 숲의 양상은 평소와 달랐다. 타고 있는 것이 나무도, 캠핑객이 두고 간 모닥불의 불씨도 아니라, 추락한 거대 수송기에서 흘러나온 연료였기 때문이다.

"어머, 어머."

기름 냄새가 뒤섞인 불꽃 안.

어둠을 인간의 형태로 잘라내서 만든 듯한 소녀가 지면에 드리워진 그림자에서 기어 나왔다.

"DEM의 시설에서 기다리고 있었는데, 이런 곳에서 추락

하고 말았군요."

그녀— 쿠루미는 주위에 존재하는 수송기 외벽의 파편 중 하나를 주워 들고 다른 한 손을 앞으로 내밀었다.

그러자 발치의 그림자가 꿈틀거리더니, 그 안에서 한 자루 단총이 튀어나와 그녀의 손에 쥐어졌다.

"〈자프키엘〉—【열 번째(유드) 탄환】."

그리고 쿠루미가 그 이름을 입에 담자, 그림자가 총구에 빨려 들어가면서『탄환』이 장전됐다.

【유드】. 맞은 대상이 지닌 과거의 기억을 쿠루미에게 전해 주는『탄환』이다.

쿠루미는 외벽 파편을 총구에 대더니 그 총으로 자신을 겨눈 후, 주저 없이 방아쇠를 당겼다. 총에서 발사된 농축된 그림자가 파편을 통과해 쿠루미의 머리에 꽂혔다.

하지만 탄환에 뚫린 파편에도, 그리고 쿠루미의 머리에도 상처가 나지 않았다. 그 대신 쿠루미의 머릿속에 이 수송기가 하늘을 날던 때의 광경이 펼쳐졌다.

격렬하게 울리는 알람. 태동하듯 기체를 흔들어대는『자재A』. 그리고 그에 공명하듯 크게 부풀어 오르는 정체불명의 영파 반응.

그리고 그 직후, 전방에 있던 정체불명의 시설 지하에서 뿜어져 나온 한 줄기 광선이 수송기를 꿰뚫었다.

"……아하. 직접적인 원인은 시도 씨군요."

쿠루미는 빙긋 웃었다. 분신에게서 시도의 상태가 이상하다는 보고를 받기는 했지만, 설마 이런 형태로 자신의 일에 관여할 줄은 생각도 못 했던 것이다.

"제2의 정령이 수송기 안에서 시도 씨의 영파를 감지하고 도움을 청한…… 걸까요. 아무튼, 그 때문에 시도 씨가 폭주 상태가 되어버린 거라면, 코토리 양들에게 있어서는 큰 민폐겠군요."

하지만 컨테이너에 갇혀 있던 정령에게 그런 소리를 한들 의미가 없을 것이다. 그것이 어떤 결과를 낳았을지라도, 자신을 구해줄 가능성을 향해 필사적으로 손을 뻗은 이를 탓할 수는 없으니까 말이다.

"아무튼 시도 씨에게 도움을 받고 말았군요."

쿠루미는 단총을 그림자 안에 집어넣더니, 스텝을 밟는 걸음걸이로 수송기 뒤편을 향해 걸어갔다.

수송기가 도착할 가능성이 높은 DEM의 주요 시설에는 분신이 배치되어 있었기에, 이 사고가 발생하지 않더라도 제2의 정령을 확보할 수 있었을 것이다. 하지만 그 과정에서 상당수의 분신을 소비해야만 했으리라.

그런 희생을 치르지 않은 것은 쿠루미에게 있어 매우 큰 이득이었다.

그것도 그럴 것이, 쿠루미의 목적은 『자재A』만이 아니었다. 더 나아가, 제2의 정령이 지니고 있을 원초의 정령에 관한 정보를 얻은 후, 그 존재를 쓰러뜨리는 것이다. 그러기 위한 병력은 조금이라도 더 많은 편이 나았다.

“자아, 정령 씨? 얼굴을 보여주시겠어요?”

쿠루미는 반파된 수송기에서 떨어져 나온 컨테이너를 들여다보면서 말했다.

하지만—.

“어머?”

쿠루미는 무심코 눈을 동그랗게 떴다.

거기에는 내부에서부터 박살이 난 듯한, 텅 빈 컨테이너만이 있었기 때문이다.

◇

〈라타토스크〉 원탁회의는 현재 발칵 뒤집어진 상태였다.

하지만 그것도 무리는 아니었다. 간부 중 한 명인 클레이튼이 그의 권한 밖에 있는 〈다인슬레프〉를 기동시킨 데다, 그것을 막기 위해 정체불명의 정령 〈팬텀〉이 모습을 드러낸 것이다.

『〈팬텀〉……?! 대체 어떻게 된 거지?! 왜 저 정령이 지금 나타난 거냔 말이다!』

『아무튼 잘됐군. 이유야 어찌 되었든 정령의 힘을 잃지 않았으니까 말이야. 클레이튼, 자네는 성미가 너무 급해!』

『무슨 소리를 하는 건가! 내가 쏘지 않았다면 사태는 호전되지 않았을 거야!』

『하지만 자네에게는 그럴 권한이 없었을 텐데? 이건 중대한 월권행위일세.』

『아니, 그것보다 지금은 〈팬텀〉이 중요해. 추적할 방법은 없을까? 인간을 정령으로 만드는 〈팬텀〉의 힘만 있다면—.』

간부들이 왁자지껄 떠들어댔다.

그러자 우드먼은 짜증을 내듯 테이블을 두드렸다.

"닥쳐라, 꼬맹이들아."

『『『……윽!』』』

뼛속까지 스며드는 듯한 우드먼의 목소리를 들은 세 명의 간부들은 숨을 삼켰다.

"너희가 내 뜻에 맞춰 움직이기를 바라는 건 아니다. 하지만 약정 정도는 지켜줬으면 하는군. 만약 그걸 어긴다면, 나에게도 생각이 있어."

『『『…………』』』

표정에 긴장이 어린 세 사람을 노려보면서 우드먼은 말을 이었다.

"클레이튼의 처분은 나중에 전달하지."

『처, 처분……? 처분이라고요?! 저는 〈라타토스크〉를 위해서……!』

『그렇습니다, 우드먼 경. 확실히 생각이 짧았을지도 모르지만, 그는—.』

"옴스테드, 닥치라고 했을 텐데? 내가 정말 눈치채지 못했을 거라고 생각하나? 네놈은 내가 그 정도로 얼간이라고 생각하는 거냐?"

『…….』

우드먼이 그렇게 말하자, 옴스테드도 입을 다물었다.

그렇다. 생각이 짧은 클레이튼이 단독으로 이 정도 준비를 했다고 보는 것은 어려웠다. 아마 〈다인슬레프〉의 기동 단말은 옴스테드의 의도에 의해 만들어진 후, 클레이튼에게 전달된 것이리라. 자신의 손을 더럽히고 싶어 하지 않는 그다운 방식이다. 클레이튼은 옴스테드가 관여했다는 사실을 전혀 눈치채지 못한 것 같지만 말이다.

"오늘은 이쯤 하지. 다들, 자신의 발치를 다시 한 번 살펴보도록."

우드먼은 그렇게 말한 후, 카렌에게 휠체어를 밀게 하더니 그대로 회의실을 빠져나갔다.

◇

"으응……."

시도는 낮은 신음을 흘리면서 눈을 떴다.

시도가 눈을 뜬 곳은 그의 방이 아니라 의무실 같은 공간이었다. 몇 초 후, 시도는 이곳이 〈라타토스크〉의 시설이라는 사실을 눈치챘다.

"아, 일어났어?"

바로 그때, 그런 말이 들려왔다. 고개를 돌려보니, 코토리가 옆에 서 있었다.

시도는 그녀의 모습을 보고 아까까지의 일을 생각해냈다.

"맞아. 나는 그 후에……."

시도는 의식을 잃은 토카와 함께 다른 정령들에 의해 〈라타토스크〉의 지하 시설로 옮겨진 후, 철저한 검사를 받았다.

"으윽……."

하지만 그 이전의 기억은 안개가 낀 것처럼 생각이 나지 않았다. 아니, 생각이 나지 않는다는 말에는 어폐가 있었다. 뭔가를 한 기억은 있지만, 뭘 했는지 떠올리려고 하면 할수록 그 기억이 흐릿해지고 있었다. 마치 어젯밤에 꾼 꿈을 떠올리려고 하는 듯한 느낌이었다.

"무리하지 마. 파이프가 안정되었다고는 해도, 아직 몸 상태가 정상은 아니란 말이야."

"응……. 아냐, 괜찮아. 그것보다 다른 애들은 어때?"

시도가 묻자, 코토리는 후우 하고 한숨을 내쉰 후 대답했다.

"다른 방에서 기다리고 있어. 쉬고 있으라고 했지만 시도가 눈을 뜰 때까지 기다리겠다고 고집을 피우더라구. 그리고—."

코토리는 거기까지 말한 후, 방 안쪽— 시도의 오른편에 있는 침대를 손가락으로 가리켰다.

그 손가락을 좇듯 고개를 돌린 시도는 깨달았다. 그 침대에서는 온몸에 붕대와 파스를 붙인 토카가 자고 있다는 사실을 말이다.

"토카……."

"시도의 모습을 보면서가 아니면 걱정이 되어서 잠을 잘 수 없다고 해서, 어쩔 수 없이 한 방을 쓰게 했어. 토카가 정신을 차리면 고맙다고 말해둬. 네가 원래대로 돌아올 수 있었던 건 토카가 마지막에 근성을 발휘했기 때문이야. 영력의 소용돌이 안으로 맨몸으로 뛰어들었다구. 웬만해선 할 수 없는 짓이야."

뭐, 가족 중에 비슷한 짓을 한 바보가 한 명 있기는 하지만, 하고 코토리는 덧붙였다. 시도는 그 말을 듣고 메마른 미소를 지었다.

그 순간, 안개가 드리워져 있던 기억 중 하나가 선명해졌다.

그렇다. 그때 토카는 위험을 무릅쓰며 시도를 향해 손을 뻗었다.

"……고마워, 토카."

침대 밖으로 몸을 내민 시도는 토카의 머리를 쓰다듬었다. 그러자 토카는 간지러움을 타듯 몸을 살짝 꼬면서 고른 숨소리를 냈다.

시도는 입가에 미소를 머금으며 그 모습을 본 후, 코토리를 향해 고개를 돌렸다.

"코토리도…… 고마워. 나를 위해 최선을 다해줬지?"

"……윽, 그건……."

코토리는 시도의 말을 듣고 잠시 동안 우물거린 후, 이윽고 치맛자락을 꾹 움켜쥐면서 닭똥 같은 눈물을 흘렸다.

"어, 코, 코토리? 갑자기 왜 그래?"

"……미안, 해. ……나는—."

코토리는 떠듬거리면서 시도에게 용서를 빌었다.

시도에게 폭주할 가능성이 있다는 사실을 숨겼던 것. 만일의 사태에 대비해 〈라타토스크〉가 시도를 죽일 수단을 준비해뒀던 것. 그리고— 코토리가 그 열쇠를 쥐고 있었던 것을…….

"비밀로 해서…… 미안해. 내 영력을 봉인했기 때문에 네가 이런 몸이 되고 만 거야……. 정말 미안해."

"……."

코토리의 말을 조용히 듣고 있던 시도는 하아 하고 한숨을 내쉬었다.

"코토리, 울지 마."

"하지만, 내가 오빠를……."

"뭐, 그런 게 항상 나를 노리고 있었다니까 기분이 좋지는 않지만…… 어쩔 수 없잖아. 폭주할 가능성이 조금이라도 있는 이상, 대항책은 준비해두는 게 옳아. 나 때문에 수많은 사람들이 죽기라도 한다면, 나는 나 자신을 용서하지 못했을 거야."

"오빠……."

그리고, 하고 시도는 말했다.

"만약, 지금의 내가 5년 전 그때로 돌아가더라도, 나는 네 영력을 봉인했을 거야. ……이런 소리를 하면 자신의 목숨을 아끼지 않는 것처럼 들릴지도 모르지만— 이게 타고난 성격이니까 어쩔 수 없잖아. 나는 울고 있는 너를 보는 게 더 괴롭다고."

"……윽."

"그러니까 이제 그만 울어, 코토리. 죽을 뻔했다가 겨우 살아났는데, 그런 나를 기다리고 있는 게 네 눈물이라니 너무 괴롭잖아."

"……."

코토리는 옷소매로 눈가를 닦은 후, 눈과 코가 벌겋게 된 채 미소를 지었다.

그 미소에 답하듯, 시도도 미소를 지었다.

"거 봐. 역시 미소 짓고 있을 때가 훨씬 귀여워. 내 여동생은 세계 제일이라니깐."

"……바보."

코토리는 부끄러워하면서 그렇게 중얼거린 후, 시도에게서 뒤돌아서더니 문을 열었다.

"다른 애들을 불러올게. 다들 분명 걱정하고 있을 거야."

"응. 부탁해."

시도가 그렇게 말하자, 코토리는 고개를 끄덕인 후 방을 나섰다. 그리고 나가면서—.

"……고마워, 오빠."

라고 말한 후, 문을 닫았다.

시도는 그런 그녀를 배웅한 후, 굳어버린 몸을 풀듯 기지개를 켰다. 하지만 근육통 탓에 팔이 잘 올라가지 않았다.

"아야야야……."

그 말에 반응하듯, 옆 침대에서 자고 있던 토카가 낮은 신음을 흘리면서 눈을 비볐다.

"으…… 음……."

"아, 토카. 일어났구나."

"……, ……앗! 시도!"

토카는 잠시 동안 졸린 듯한 표정을 지었지만, 곧 눈을 깜빡대더니 몸을 벌떡 일으켰다.

"으윽……."

하지만 아직 몸이 아픈지 상체를 일으키자마자 고통 섞인 신음을 흘렸다.

"어이, 무리하지 마."

"아니…… 괜찮다. 그것보다, 시도야말로 괜찮은 것이냐?"

"응. 네 덕분에 말이야. 고마워, 토카. 네 신세를 톡톡히 진 것 같네."

시도의 말을 들은 토카는 고개를 세차게 저었다.

"신경 쓰지 마라. 나는 시도에게 도움을 잔뜩 받았지 않느냐. 게다가 지금까지 노력해온 시도가 구원받지 못하는 것도 말이 안 된다. 그리고—."

"그리고?"

시도는 고개를 갸웃거리면서 되물었다. 그러자 토카는 볼을 붉히면서 후훗 하고 웃었다.

"음…… 마지막 건, 비밀이다."

"그러니까 더 신경 쓰이네. 가르쳐줘."

"안 된다. 어디까지나 비밀이니까 말이다. —그것보다, 시도."

주위를 둘러보던 토카는 선반에 놓인 바구니에 든 사과를 발견하고는 그것을 꺼내 솜씨 좋게 껍질을 깎았다.

그리고 조각낸 사과 중 하나를 쥐더니 시도에게 내밀었다.

"자, 시도. 아~ 해봐라."

"응? 갑자기 뭐 하는 거야?"

시도가 묻자, 토카는 진지한 눈길로 쳐다보면서 말했다.

"그때, 시도는 자신을 반하게 만들어보라고 말했지 않느냐. 하지만 나만 시도를 반하게 만들지 못했다."

“응? 내가 그런 소리를 했어?”

“그렇다. 그러니 아~ 해봐라.”

“아, 아…….”

결국 시도는 토카가 내민 사과를 입에 넣었다.

“어떠냐, 맛있느냐?!”

“응…… 맛있어.”

“가슴이 뛰었느냐?!”

“그래. 뛰었어.”

“그러하냐!”

시도의 대답을 들은 토카는 기쁜지 미소를 지었다. 그 구김 없는 미소를 본 순간, 시도의 가슴은 진짜로 두근거렸다.

그 사실을 알 리 없는 토카는 진지한 표정으로 시도의 눈을 바라보며 입을 열었다.

“아, 맞다. 시도, 너에게 확인할 게 있다.”

“그래? 뭔데?”

“……영력을 봉인하기 위해서는 키스를 해야 한다고 코토리에게 들었다만…… 역시 다른 이들과 키스를 한 것이냐?”

“푸……웁!”

그 말을 들은 시도는 사레가 들리고 말았다.

그러고 보니 예전에 요시노의 영력을 봉인한 후, 토카에게 자신 이외의 다른 사람과는 키스하지 말라는 말을 들었다.

토카의 정신 상태가 불안정해질까 싶어 토카에게는 다른

정령과 키스하는 모습을 가능한 한 보여주지 않았지만……
아무래도 결국 들키고 만 것 같았다.

"……저기, 토카. 그게 말이야……."

"괜찮다. 나야말로 무리한 부탁을 해서 미안하다. 다른 정령들을 구해달라고 해놓고, 구하기 위한 수단을 쓰지 말라고 하다니, 모순되는 소리를 했구나."

토카는 말을 이었다.

"그렇다면 그 자리에서 사실대로 말해주지 그랬느냐. 나는 지금까지 키스 이외의 봉인 수단이 있다고 생각했단 말이다."

"그건…… 미안해. 네 말이 맞아."

시도가 고개를 숙이자, 토카는 또 고개를 저었다.

"용서해주마. 그 대신, 말이다."

"응?"

시도는 눈을 동그랗게 떴다. 토카가 고통 때문에 인상을 찡그리면서도 천천히 침대에서 나오더니, 시도의 침대 위로 올라왔기 때문이다.

"으음, 토카?"

"원망할 생각은 없다. 하지만 시도가 약속을 어긴 건 사실이지. 그러니까—."

토카는 요시노, 코토리, 카구야, 유즈루, 미쿠, 나츠미, 오리가미, 하고 정령들의 이름을 말하면서 손가락을 접었다.

그리고 부끄러움을 타듯 볼을 붉히면서 속삭이는 듯한 목소리로 말했다.

"……일곱 명. 나한테 사실대로 말하지 않은 것은 특별히 키스 일곱 번으로 용서해주마."

"뭐……? 어, 어이, 잠깐만, 토카?!"

"거부는 용서하지 않겠다. 혹시…… 나와 키스하는 게 싫은 것이냐?"

"아니, 그런 게 아니라, 곧—."

"그럼 문제 될 것이 없지 않느냐! 에잇, 금방 끝나니 얌전히 있어라!"

"아, 잠깐만—."

시도가 말을 끝까지 잇기도 전에 그를 덮친 토카는 다짜고짜 입술을 마주 댔다. 부드러운 감촉과 희미한 땀 냄새가 뇌를 태워버릴 듯한 쾌감을 자아냈다.

"음…… 쪼옥……."

"……읏! ……우읍?!"

하지만 바로 그 순간—.

"시도, 오래 기다렸지? 다른 애들을 데리고 왔—."

갑자기 방문이 열리더니, 그 앞에 서 있던 코토리가 딱딱하게 굳어버렸다.

토카는 깜짝 놀랐는지 눈을 치켜뜨면서 시도에게서 입술을 뗐다. 그러자 시도의 입술이 잡아당겨지듯 살짝 딸려 올라오더니, 뿅 하는 소리를 내면서 원래 위치로 돌아갔다. 그런 두 사람의 입술 사이에는 타액으로 된 번들번들한 실이 생겨났다.

그 광경을 본 코토리와 정령들, 그리고 마나가 방 안으로 밀려들어왔다.

"시, 시도 너, 이 짧은 틈에 뭘 하고 있는 거야?!"

"저, 저기…… 두 사람 다 몸이 정상이, 아니잖아요. 그러니까……."

"크, 크큭…… 토카도 꽤 하지 않느냐."

"지적. 카구야는 속으로 분통을 터뜨리고 있어요."

"꺄아~! 잘 안 보였으니까 한 번 더! 한 번 더 부탁드려요~!"

"우와…… 눈뜨자마자 이딴 짓을 벌인 거야? 완전 질렸어……."

"……역시, 방심할 수가 없어."

"오라버니! 무슨 짓을 해버리고 있는 거예요?!"

그녀들은 그런 소리를 하면서 시도의 침대를 둘러쌌다.

"어, 어이, 다들 진정해. 이건 말이야……."

시도는 뭐라고 변명할지 고민했다.

하지만 이 상황을 무마할 적당한 변명이 그렇게 쉽게 생각날 리가 없었다.

"으음……."

같은 생각을 한 듯한 토카는 될 대로 되라는 듯이 시도를 꼭 껴안았다. 그러자 정령들이 「아~!」 하고 한 목소리로 외쳤다.

"하하……."

오래간만에 접한 듯한 이 시끌벅적한 분위기 속에서―.

시도는 토카의 머리를 쓰다듬으며 작게 쓴웃음을 지었다.

## ■작가 후기

오래간만입니다. 타치바나 코우시입니다. 『데이트 어 라이브 12 이츠카 디재스터』를 여러분에게 전해드립니다. 어떠셨는지요. 여러분의 마음에 들었으면 좋겠습니다.

자, 이번 12권은 놀랍게도 시도가 표지를 차지했습니다. 언젠가는 해보고 싶었습니다만, 드디어 기회가 찾아왔습니다. 데뷔작부터 세면 스무 권 이상의 책을 냈습니다만, 남자 캐릭터가 표지를 차지한 것은 이번이 처음인 것 같습니다.

옛날에 비해 주인공이 표지를 차지하는 패턴이 늘기는 했습니다만, 남자 주인공이 단독으로 표지를 차지하는 케이스는 여전히 드문 것 같습니다. 왠지 시도가 폼 잡고 있는 것처럼 보이는군요. 『디재스터』라는 말도 절묘하게 매치가 되고 있는 느낌이 듭니다. 분명 몇 년 후에는 이걸 떠올리면서 이불을 뻥뻥 걷어차겠죠.

그리고 매 권마다 빠짐없이 들어가는 양면 삽화는 바로 『그것』입니다. 아직 읽지 않은 분은 서둘러 본문을 보시길. 그래도 감이 오지 않는 분은 1권 131페이지를 봐주시면 감사하겠습니다. 정말 기나긴 복선이었습니다. 아니, 그건 정말로 복선인 걸까요.

자아, 작품 속은 살이 에일 만큼 바람이 차가워지는 12월입니다만, 이 책의 발매일은 반대로 6월입니다. 올해 여름은 꽤나 뜨거울 듯합니다. 그 이유를 순서대로 알려드리죠.

우선 다음 달인 7월 18일에 신작 『언젠가 세계를 구하기 위해 -퀄리디아 코드-』가 발매됩니다! 일러스트는 하이무라 키요타카 씨께서 맡아주셨습니다! 꼭 체크해주시길!

이형의 적들의 침공 때문에 위기에 처한 세계. 적으로부터 국토를 지키기 위해 방위 도시의 소년 소녀들은 밤낮없이 싸우지만…… 당사자들은 세계의 존망 같은 것에는 그다지 관심이 없으며, 한 여자애를 차분하면서도 끈적끈적하게 귀여워하는 데만 심혈을 기울이는 이야기입니다. 정말 변태밖에 없습니다. 오리가미가 여러 명으로 분열했다고 생각하시면 될 겁니다. 제가 써놓고 이런 말을 하는 것도 그렇지만, 정말 무시무시하네요.

그리고 같은 날 발매되는 『드래곤매거진 9월호』에는 지금까지 『드래곤매거진』에 실린 『데이트』 관련 기사를 모은 『데이트 어 라이브 통째로 BOOK』이 부록으로 첨부될 예정입니다! 지금까지 재수록되지 않았던 츠나코 씨의 일러스트도 들어갈 예정이니, 팬 여러분들은 꼭 입수하실 수밖에 없을 겁니다. 참고로 저는 견본을 받습니다만, 자비를 털어 보존용을 살 생각입니다.

그리고 7월 30일에는 PSVita용 소프트 『데이트 어 라이브 Twin Edition 리오 린카네이션』이 발매될 예정입니다! 일전에 PS3 전용 소프트로 발매된 『린네 유토피아』, 『아루스 인스톨』이 통째로 수록되며, 추가 에피소드도 들어간 호화판입니다!

또한, 7월 31일에는 애니메이션 제1기 블루레이BOX가 발매될 예정입니다! TV판에는 수록되지 않은 신이 추가된 디렉터즈컷판이니 방송과의 차이점을 즐겨주셨으면 합니다.

그리고 8월 22일! 『극장판 데이트 어 라이브 마유리 저지먼트』가 전국 극장에서 공개됩니다!

실은 얼마 전에 애프터 레코딩을 보러 갔습니다. 게임 수록이 아니라 애니메이션의 애프터 레코딩은 1년 만인지라 한층 더 감동했습니다.

스태프 여러분과 캐스트 여러분이 최선을 다해주고 계시니 기대해주시길!

이번 책을 내면서도 많은 분들에게 도움을 받았습니다.

일러스트를 담당하신 츠나코 씨를 비롯해, 담당자님, 디자이너님, 편집부 여러분, 서점 여러분, 그리고 이 책을 구매해주신 독자 여러분에게 진심으로 감사드립니다.

다음은 『데이트 어 라이브 13』 혹은 신작인 『언젠가 세계를 구하기 위해 -퀄리디아 코드-』로 인사를 드릴까 합니다.

아, 신작을 내기는 했지만 『데이트 어 라이브』는 계속될 예정이니 안심해주시길.

여러분과 또 만날 수 있기를 진심으로 빌겠습니다.

2015년 5월 타치바나 코우시

## ■역자 후기

안녕하십니까. 근로청년 번역가 이승원입니다.

『데이트 어 라이브 12 이츠카 디재스터』를 구매해주셔서 진심으로 감사드립니다.

작가님 후기를 읽으신 독자 여러분들께서는 아시겠지만, 올해 여름은 데어라 관련 상품이 잔뜩 나왔습니다. 그리고 데어라 역자로서 사명감에 불타오른 저는 PSVita용 게임과 라이트노벨 잡지인 드래곤매거진, 그리고 데어라 극장판을 보기 위해 쾌속선 타고 일본으로 날아갔죠!

……예? 마감요? 에이, 더 나은 데어라 번역을 위해 일본까지 간 열혈 역자의 뜨거운 마음을 L노벨 편집부 여러분들이 이해해주시지 않을 리가 없지 않습니까! 일본에 들어가자마자 핸드폰을 비행기 모드로 바꾸고 모든 연락을 차단하긴 했지만, 그건 편집부 여러분들의 마수에서 벗어나기 위한 게 아니었습니다! 하늘에 맹세할 수 있어요(어이)!

아무튼, 데어라 극장판 일본 개봉 다음 날인 8월 23일에 후쿠오카에 도착한 저는 바로 영화를 보러 갔습니다. 그런

데…… 개봉 특전인 단편 소설 소책자가 다 떨어졌다더군요. 겨우 하루 만에요ㅠㅜ 후쿠오카에 들어온 특전 자체의 양이 적었던 걸려나요, 흑흑.

아무튼 결국 눈물을 머금으면서 단편 소책자를 포기한 저는 영화만 재미있게 보고 왔습니다. 티비판 2기가 끝나고 오래간만에 보는 데어라 애니라 그런지 재미있더군요. 작화도 예상과는 달리(^^) 좋았고요. 일본까지 보러 간 보람이 있었습니다.

……물론 그 후 태풍 때문에 배가 끊겨서 일본에 갇혔고, 작업 스케줄에도 엄청난 타격을 입었습니다만, 그래도 후회는 안 합니다, AHAHA!

이번 12권에 관한 이야기를 간략하게 할까 했습니다만, 이번에는 하지 않을까 합니다.

단순히 공략 완료 히로인들의 재부각을 위한 역(逆) 공략편 같습니다만, 의외로 작품의 핵심으로 이어지는 요소들이 곳곳에 존재합니다. 괜히 이야기하다 심각한 스포일러로 이어질 듯한지라.^^

그래도 재미있는 요소가 잔뜩 들어 있으니, 아직 본문을 읽지 않은 독자 여러분들은 지금 바로 읽어주시길!

그럼 이만 줄이겠습니다.

『데어라』를 저에게 맡겨주신 L노벨 편집부 여러분. 정말 감사합니다.

돌잔치 스냅사진으로 신혼 여행 가이드로 따라갔던 내가 찍은 사진을 써준 악우여. 그런 식으로 압박을 가해봤자 나는 이제 일본 여행 가이드 안 해줄 거야!

마지막으로 언제나 제게 버팀목이 되어주시는 어머니와 『데이트 어 라이브』를 읽어주신 모든 분들에게 진심으로 감사드립니다.

신개념&초차원(-_-;)적인 정령이 등장하는 데어라 13권 역자 후기에서 다시 뵙겠습니다!

2015년 10월 초

역자 이승원 올림

데이트 어 라이브 12

1판 1쇄 발행 2015년 11월 10일
1판 7쇄 발행 2021년 9월 27일

지은이_ Koushi Tachibana
일러스트_ Tsunako
옮긴이_ 이승원

발행인_ 신현호
편집부장_ 윤영천
편집진행_ 김기준 · 김승신 · 원현선 · 권세라
편집디자인_ 양우연
관리 · 영업_ 김민원 · 조인희

펴낸곳_ (주)디앤씨미디어
등록_ 2002년 4월 25일 제20-260호
주소_ 서울시 구로구 디지털로 26길 111 JnK디지털타워 503호
전화_ 02-333-2513(대표)
팩시밀리_ 02-333-2514
이메일_ lnovelpiya@naver.com
L노벨 공식 카페_ http://cafe.naver.com/lnovel11

원제 DATE A LIVE Volume 12 Disaster ITSUKA


ISBN 979-11-86006-03-3 04830
ISBN 978-89-267-9334-3 (세트)

**값 6,800원**

## 이 사랑과, 그 미래 - 1년째 봄 -

모리하시 빙고 지음 | Nardack 일러스트 | 이진주 옮김

완전 불합리한 세 누나 밑에서 불우한 가정생활을 보내던 마츠나가 시로.
그 지옥에서 도망치기 위해 신설된 기숙 학교에 들어가기로 마음먹은 그는
기대를 품고 히로시마로 향한다. 알지 못하는 지역, 낯선 언어.
그리고 무엇보다도 그 누나들과의 부조리한 나날에서 해방되었다는
고양감에 젖은 시로였지만,
룸메이트가 된 오다 미라이는 복잡한 마음을 가진…… 여성?!
시로와 미라이, 두 사람의 기묘한 공동생활이 시작된다—.

**『시노노메 유우코』 콤비가 보내는**
**망설임과 애절함 가득한 청춘 스토리.**

NOVEL

라이트노벨의 새로운 빛! L노벨의 신간은 매월 10일에 발매됩니다. www.lnovel.co.kr

L NOVEL

©HIFUMI SHOBO ©COMPILE HEART／GCREST,Inc.

## 압도적유희 무겐소울즈 ~월기스의 위험한 보물~

사야마 미사오 지음 | 나나메다케이 일러스트 | 김덕진 옮김

인기 게임 시리즈 「압도적유희 무겐소울즈」 시리즈의 스핀오프 소설.
때는 대항해시대. 그것은 대해적시대이자 모험세계였다.
슈슈는 자신을 퀸 슈슈라고 칭한 지 얼마 안 되는 자칭 해적으로,
배도 없었지만 부하와 함께 정박 중인 해적선을 빼앗아 그대로 해적 데뷔.
용사의 배를 습격한 것을 계기로 대해적 월기스의 보물이
이 세계에 존재한다는 것을 알고 의기양양하게
세계의 보물을 찾는 모험에 나서는 것이었다.

**한글화 정식 발매중**

NOVEL

라이트노벨의 새로운 빛! L노벨의 신간은 매월 10일에 발매됩니다. www.lnovel.co.kr